Tistou
les pouces verts

Les Contemporains,
CLASSIQUES DE DEMAIN

LAROUSSE

Tistou
les pouces verts

Maurice
Druon
de l'Académie française

Édition présentée,
annotée et commentée
par Catherine MORY,
professeur de lettres modernes

Direction de la publication : Carine GIRAC-MARINIER
Direction de la collection : Nicolas CASTELNAU-BAY
Direction éditoriale : Claude NIMMO
Direction éditoriale adjointe : Julie PELPEL-MOULIAN
Édition : Laurent GIRERD
Lecture-correction : Catherine DECAYEUX
Direction artistique : Uli MEINDL
Couverture et maquette intérieure : Serge CORTESI,
Sophie RIVOIRE, Uli MEINDL
Dessin de couverture : Alain BOYER
Mise en page : Philippe CAZABET, Marie-Noëlle TILLIETTE
Responsable de fabrication : Marlène DELBEKEN

Sommaire

Tistou les pouces verts
Maurice Druon

Pour approfondir

L'auteur

 ### Une enfance éprouvée

« JE SUIS NÉ au son du canon, dans les premières heures du 23 avril 1918 », écrit Maurice Druon dans ses *Mémoires*. « Ainsi, tandis que je prenais mes premières gorgées d'air, je fus environné du sourd fracas de la guerre. »[1] C'est en effet pendant la Première Guerre mondiale que naît le futur écrivain.

Ce n'est pas le seul point sombre de sa jeunesse. Son père, Lazare Kessel, met fin à ses jours alors que l'enfant n'a que deux ans. Pour ne pas perturber le jeune garçon, on lui raconte que ce décès a été causé par une maladie. À dix-huit ans, Maurice Druon apprend la terrible vérité : c'est pour lui un grand choc.

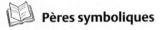 ### Pères symboliques

Sa mère se remarie en 1926 avec René Druon. Ce dernier va donner son nom à l'enfant et devenir son père adoptif.

Mais Maurice Druon compte, sinon un troisième père, du moins un parrain littéraire. Il s'agit de son oncle Joseph Kessel (1898-1979), célèbre romancier français qui a écrit notamment *L'Armée des ombres* (1943) et *Le Lion* (1958). Les deux hommes sont unis non seulement par un lien familial, mais également par une solide amitié. Tous deux vont se retrouver dans les rangs de la Résistance durant la Seconde Guerre mondiale (1939-1945).

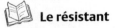 ### Le résistant

En 1940, la France est occupée par les Allemands. Mais certains refusent cette défaite et continuent à lutter clandestinement contre l'ennemi : on les appelle les résistants. Le général de Gaulle (1890-1970) est un de leurs chefs. En 1942, Maurice Druon et Joseph Kessel décident de partir à Londres pour le rejoindre.

---

1. Maurice Druon, *Mémoires. L'aurore vient du fond du ciel*, Plon, 2006.

En Angleterre, le jeune homme va rendre plusieurs services au mouvement de la Résistance. Ainsi, il deviendra l'aide de camp d'un général, le suivant dans ses déplacements et l'aidant à faire exécuter ses ordres. Il sera également correspondant de guerre. Comme un journaliste, il informera l'armée française des différents événements militaires qui se produisent.

En 1945, la France et ses alliés gagnent la guerre.

 ## L'écrivain

Le jeune homme peut alors se consacrer pleinement à la littérature. Très rapidement, il est reconnu comme un grand romancier. Ainsi, en 1948, il reçoit le prestigieux prix Goncourt pour son livre *Les Grandes Familles*. Surtout, en 1966, il est élu à l'Académie française. Cette institution rassemble des personnalités célèbres, essentiellement des écrivains, qui sont chargées de veiller sur la langue française. Une de leurs missions est, par exemple, de publier un dictionnaire. En 1985, il devient le secrétaire perpétuel de cet établissement, c'est-à-dire son président.

Parallèlement à ses activités littéraires, Maurice Druon poursuit une carrière politique. Ainsi, il est élu ministre des Affaires culturelles en 1973. Il meurt en 2009 à Paris.

À retenir

Maurice Druon est un célèbre écrivain français du XXe siècle. Durant la Seconde Guerre mondiale, il a fait partie de la Résistance contre les soldats allemands qui occupaient la France. Par ailleurs, il a été élu secrétaire perpétuel de l'Académie française.

L'œuvre

📖 Le Chant des partisans (1943)

En 1943, Maurice Druon et son oncle Joseph Kessel partent rejoindre les résistants en Angleterre. C'est là qu'ils entendent une musique composée par la chanteuse Anna Marly (1917-2006). Ils décident d'en écrire les paroles. Ce sera *Le Chant des partisans*. Cet air va devenir si célèbre qu'il sera considéré comme l'hymne de la Résistance. Il commence par ces vers illustres :

> *Ami, entends-tu le vol noir des corbeaux sur nos plaines ?*
> *Ami, entends-tu les cris sourds du pays qu'on enchaîne ?*

📖 Un romancier

Maurice Druon est, avant tout, un auteur de romans. Entre 1948 et 1951, il publie une saga, c'est-à-dire une suite romanesque, intitulée *La Fin des hommes*. Elle est composée de trois volumes : *Les Grandes Familles*, *La Chute des corps* et *Rendez-vous aux Enfers*. L'écrivain y peint une famille de riches financiers qui se caractérisent par leur égoïsme et leur rapacité. L'œuvre a beaucoup de succès et le premier volume est adapté au cinéma avec Jean Gabin dans le rôle principal.

📖 Les Rois maudits (1955-1977)

En 1955, Maurice Druon entame l'écriture d'une seconde saga, intitulée *Les Rois maudits*. Elle s'inspire de faits historiques qui se sont déroulés en France au Moyen Âge.

Jacques de Molay, grand maître d'un ordre religieux appelé les Templiers, va être brûlé vif. En effet, le roi Philippe le Bel lui reproche d'être un hérétique, c'est-à-dire de ne pas respecter la religion catholique. L'accusé a toujours proclamé son innocence. Avant de mourir, il maudit le roi et ses descendants jusqu'à la treizième génération. Dès lors, une succession de malheurs s'abat sur la France : les héritiers au trône meurent les uns après les autres, les princesses sont infidèles, les meurtres et les trahisons s'enchaînent...

Les sept volumes des *Rois maudits* vont remporter un immense succès populaire et seront adaptés à deux reprises pour la télévision.

📖 *Tistou les pouces verts* (1957)

« Il m'amusa, un jour, entre deux tomes des *Rois maudits* et comme pour me détendre, de m'essayer à un genre littéraire que je n'avais point encore abordé, et fort éloigné de tous mes autres ouvrages. »[1] Ainsi fut écrit *Tistou les pouces verts*. C'est effectivement le premier conte pour enfant écrit par Maurice Druon. C'est également le dernier.

Dans cette œuvre, l'auteur a créé un petit garçon qui, comme tous les enfants, ouvre « un œil neuf sur les êtres et sur les choses » et « met souvent en déroute le raisonnement des grandes personnes »[2]. Notamment, Tistou ne comprend pas pourquoi les hommes ne parviennent pas à s'entendre et à vivre ensemble dans le bien. « Pour ma part, ajoute Maurice Druon, et c'est probablement ce qui me reste d'enfance, je n'ai pas encore compris ni admis cette incapacité. »[3]

🔍 À retenir

Maurice Druon est, avant tout, un auteur pour adultes. Il a écrit de nombreux romans et notamment une célèbre saga historique, *Les Rois maudits*. *Tistou les pouces verts* est son unique œuvre pour la jeunesse.

---

1. Maurice Druon, *Tistou les pouces verts*, préface (p. 17).
2. *Ibid.* (p. 18).
3. *Ibid.*

Pourquoi lire l'œuvre ?

Un conte philosophique

Comme le Petit Prince de Saint-Exupéry (1900-1944), Tistou est un personnage qui découvre le monde avec un regard innocent. En cela, il s'oppose aux grandes personnes qui ont des idées toutes faites et « le jugement faussé par les lunettes de l'habitude »[1].

Grâce à sa candeur, Tistou trouble les certitudes des adultes. Il rejette l'emprisonnement, la maladie, la misère et la guerre, qui sont considérés par les grandes personnes comme des maux inévitables. Il refuse de se résigner et donne à son lecteur une leçon de combativité. Tistou est celui qui « pense que le monde pourrait être tellement mieux qu'il n'est » (chap. 13) et qui agit en ce sens. Refuser de se résigner, passer à l'action : telles sont les leçons que donne ce conte.

Un conte écologique

Tistou agit en se servant des fleurs. Grâce à elles, la prison se transforme en un lieu magnifique et les taudis hideux deviennent les plus beaux bâtiments de la ville. De même, la petite fille malade reprend goût à la vie en contemplant la rose merveilleuse que Tistou a fait pousser près de son oreiller.

Dans ces trois exemples, c'est la splendeur des plantes qui vient à bout des fléaux. Le beau et le bien sont symbolisés par les fleurs. Comme le dit lui-même Tistou à son poney Gymnastique : « j'ai découvert quelque chose d'extraordinaire ! [...]. Les fleurs empêchent le mal de passer » (chap. 9). *Tistou les pouces verts*, dans sa célébration de la nature, a donc une dimension écologique.

Un conte d'apprentissage

Le livre de Maurice Druon est également un conte d'apprentissage, c'est-à-dire un récit dans lequel le héros chemine et évolue.

---

1. Maurice Druon, *Tistou les pouces verts*, préface (p. 18).

Au début du conte, Tistou est malheureux car il ne donne pas satisfaction à ceux qui l'aiment et qu'il aime. Mauvais élève, le petit garçon finit par se faire renvoyer de l'école. De plus, ses pouces verts le rendent différent des autres enfants. Enfin, il ne répond pas aux espérances de ses parents puisqu'il ne manifeste aucun goût pour l'armement. Il va donc devoir trouver sa voie et apprendre qui il est.

À la fin du conte, Tistou est parvenu à s'accomplir. Il a réalisé son désir d'améliorer le monde en métamorphosant la ville de Mirepoil, devenue Mirepoil-les-Fleurs. De plus, il a trouvé son identité : il est monté au ciel rejoindre ses pareils, à savoir les anges.

Un héros pacifiste porteur de valeurs morales

Tistou est un héros vertueux, porteur de valeurs morales. Il lutte contre le mal sous toutes ses formes (misère, maladie, guerre...) et sème le bien avec ses graines. Son courage se manifeste tout particulièrement lors de son combat contre la guerre. En effet, lorsqu'il fait disparaître les armes sous la végétation, il s'oppose non seulement aux grandes personnes en général, mais aussi et surtout à son père, directeur de l'usine. Tistou est donc un héros pacifiste, sensible aux malheurs d'autrui et porté vers l'action. Le jeune lecteur s'identifie facilement à ce personnage bienveillant car, comme l'écrit Druon, « tout enfant est impatient d'agir dans le sens du bien commun »[1].

À retenir

Grand classique de la littérature jeunesse, *Tistou les pouces verts* met en scène un jeune héros qui refuse de se résigner et agit contre le mal qu'il voit autour de lui. Grâce à son regard neuf, il remet en question le monde des adultes.

---

1. *Ibid.*

Tistou
les pouces verts

Maurice **Druon**

Avant-propos

Tistou les pouces verts *est le seul conte pour enfants que j'aie écrit, et le seul sans doute que j'écrirai jamais.*

Il m'amusa, un jour, entre deux tomes des Rois maudits *et comme pour me détendre, de m'essayer à un genre littéraire que je n'avais point encore abordé, et fort éloigné de tous mes autres ouvrages. Je me suis aperçu, chemin faisant, que les différences portaient seulement sur la forme et l'expression, mais que les problèmes de fond restaient bien les mêmes.*

Et d'abord parce qu'il n'y a pas vraiment d'enfants auxquels on doive s'adresser précisément. Il y a de futures grandes personnes, et puis aussi d'anciens enfants. Jamais, dans la vie courante, je ne prends le ton enfantin pour parler à un enfant ; je ne l'imagine pas si niais qu'il me faille niaiser pour m'en faire entendre. Quand j'étais petit, et qu'on usait avec moi de cette mauvaise façon, cela me vexait beaucoup, et je pensais, sans bien sûr oser l'exprimer : « Voici un Monsieur bien bête qui éprouve le besoin de s'accroupir pour faire semblant d'être de ma taille. »

Le personnage de Tistou est un petit garçon de cette espèce-là, qui n'admet pas que les grandes personnes lui expliquent le monde à l'aide d'idées toutes faites. Et comme il ouvre – c'est la vertu essentielle de l'enfance – un œil neuf sur les êtres et les choses, il met souvent en déroute le raisonnement des grandes personnes qui ont le jugement faussé par les lunettes de l'habitude. Particulièrement, il ne comprend pas pourquoi, puisqu'on vit plus heureux avec de bons sentiments qu'avec de mauvais, avec la liberté qu'avec la contrainte, avec la justice qu'avec l'arbitraire, avec la paix qu'avec la guerre, disons très simplement avec le bien qu'avec le mal, les hommes ne parviennent pas à s'accorder pour vivre dans le bien.

Pour ma part, et c'est probablement ce qui me reste d'enfance, je n'ai pas encore compris ni admis cette incapacité.

Tout enfant est impatient d'agir dans le sens du bien commun, et il attend pour cela le miracle d'être grand. Et puis, quand il est grand, généralement, il a oublié ce qu'il voulait faire, ou bien il y a renoncé. Et rien ne se produit. Il y a seulement une grande personne de plus, sans miracle.

Tistou, lui, a la chance, et c'est là où commence la féerie, de pouvoir agir étant petit. Et il agit en se servant des fleurs, qui sont, exactement comme l'enfance, promesse et espérance.

Comment ce petit homme, cette promesse d'homme, emploie-t-il les fleurs pour rappeler aux anciens enfants que nous sommes qu'ils peuvent vivre plus heureux ? C'est ce que le conte va vous apprendre.

Mais il est bien évident que Tistou n'est pas un enfant comme les autres.

Il me le prouve depuis dix ans par les amis qu'il me fait à travers le monde et qui sont de tous les âges.

Novembre 1967.

Chapitre 1

Où l'auteur, à propos du nom de Tistou, fait quelques réflexions

Tistou est un nom bizarre que l'on ne trouve dans aucun calendrier, ni en France ni en d'autres pays. Il n'y a pas de Saint-Tistou.

Or il existait un petit garçon que tout le monde
5 appelait Tistou... Ceci mérite quelques explications.

Un jour, tout de suite après sa naissance, alors qu'il n'était pas plus gros qu'un pain de ménage dans une corbeille de boulanger, une marraine en robe à manches longues, un parrain en chapeau noir,
10 avaient porté ce petit garçon à l'église et annoncé au curé qu'il s'appelait François-Baptiste. Ce jour-là, comme la plupart des nourrissons dans sa situation, ce petit garçon avait protesté, crié, était devenu tout rouge. Mais les grandes personnes, qui ne
15 comprennent rien aux protestations des nouveau-nés, avaient soutenu avec assurance que cet enfant se nommait bien François-Baptiste.

Puis la marraine en manches longues, le parrain en chapeau noir, l'avaient ramené dans son berceau.

20 Tout aussitôt s'était produite une chose étrange : les grandes personnes, comme si elles n'avaient plus été capables de former avec leur langue le nom qu'elles avaient donné à l'enfant, s'étaient mises à l'appeler Tistou.

25 Le fait, dira-t-on, n'est pas rare. Combien de petits garçons et de petites filles sont inscrits à la mairie ou à l'église sous le nom d'Anatole, de Suzanne, d'Agnès ou de Jean-Claude, et que l'on n'appelle jamais autrement que Tola, Zette, Puce

30 ou Mistouflet !

Ceci prouve simplement que les grandes personnes ne savent pas vraiment notre nom, pas plus qu'elles ne savent d'ailleurs, en dépit de ce qu'elles prétendent, d'où nous venons, ni pourquoi nous

35 sommes au monde, ni ce que nous avons à y faire.

Les grandes personnes ont, sur toutes choses, des idées toutes faites[1] qui leur servent à parler sans réfléchir. Or les idées toutes faites sont générale-ment des idées mal faites. Elles ont été fabriquées

40 il y a longtemps, on ne sait plus par qui ; elles sont très usées, mais comme il y en a plusieurs, à propos

---

1. **Idées toutes faites :** idées que l'on a sans avoir réfléchi.

de n'importe quoi, elles ont ceci de pratique qu'on peut en changer souvent.

Si nous ne sommes nés que pour devenir un jour une grande personne pareille aux autres, les idées toutes faites se logent très facilement dans notre tête, à mesure qu'elle grossit.

Mais si nous sommes venus sur la terre pour accomplir un travail particulier, qui réclame de bien regarder le monde autour de soi, les choses ne vont plus si facilement. Les idées toutes faites refusent de rester sous notre crâne ; elles nous sortent de l'oreille gauche juste après qu'elles sont entrées par notre oreille droite ; elles tombent par terre et elles se cassent.

Nous causons ainsi de graves surprises d'abord à nos parents et ensuite à toutes les grandes personnes qui tenaient si fort à leurs fameuses idées !

Et c'est justement ce qui se produisit avec ce petit garçon qu'on avait appelé Tistou, sans lui demander son avis.

Chapitre 2

Où l'on présente à la fois Tistou, ses parents, et la Maison-qui-brille

Les cheveux de Tistou étaient blonds et frisés au bout. Imaginez des rayons de soleil qui se fussent tous terminés par une petite boucle en touchant la terre. Tistou avait des yeux bleus grands ouverts, des joues roses et fraîches. On l'embrassait beaucoup.

Car les grandes personnes, celles surtout qui ont de larges narines noires, des rides sur le front et du poil dans les oreilles, embrassent tout le temps les petits garçons aux joues fraîches. Elles disent que cela fait plaisir aux petits garçons ; c'est encore une de leurs idées toutes faites. C'est à elles, les grandes personnes, que cela fait plaisir, et les petits garçons aux joues fraîches sont bien gentils de leur procurer cet agrément.

Tous les gens qui voyaient Tistou s'écriaient :

— Oh ! le joli petit garçon !

Mais Tistou n'en tirait pas orgueil[1]. La beauté lui semblait une chose naturelle. Il s'étonnait que tous les hommes, toutes les femmes et tous les petits enfants ne fussent pas comme ses parents et lui-même.

Car les parents de Tistou étaient l'un et l'autre fort beaux, il faut nous hâter de le dire, et c'est en les regardant que Tistou avait pris l'habitude de penser qu'il était normal d'être beau, alors que la laideur lui paraissait une exception ou une injustice.

Le père de Tistou, qui s'appelait Monsieur Père, avait les cheveux noirs et soigneusement collés à la brillantine[2] ; il était grand, très bien vêtu ; il n'avait jamais la moindre petite poussière sur le col de son veston et il se parfumait à l'eau de Cologne.

Madame Mère était blonde et légère ; ses joues étaient douces comme la peau des fleurs, ses ongles étaient roses comme des pétales de roses, et lorsqu'elle sortait de sa chambre elle répandait autour d'elle un parfum de bouquet.

Vraiment Tistou n'était pas à plaindre, car en plus de Monsieur Père et de Madame Mère, qu'il

---

1. **Orgueil :** sentiment éprouvé par une personne qui pense valoir plus que les autres.
2. **Brillantine :** produit servant à fixer la chevelure et à la faire briller.

40 avait pour lui tout seul, il profitait de leur immense fortune.

En effet, Monsieur Père et Madame Mère, vous l'avez déjà compris, étaient fort riches.

Ils habitaient une magnifique maison à plusieurs
45 étages avec un perron, une véranda, un grand escalier, un petit escalier, de hautes fenêtres alignées par rangées de neuf, des tourelles coiffées de chapeaux pointus, et tout autour un superbe jardin.

Dans chaque pièce de la maison se trouvaient des
50 tapis si épais, si moelleux que l'on y marchait en silence. Pour jouer à cache-cache, c'était merveille, et aussi pour courir sans pantoufles, chose défendue qui faisait dire à Madame Mère :

— Tistou, mets tes pantoufles, tu vas prendre
55 froid !

Mais Tistou n'attrapait jamais de rhume, à cause des gros tapis.

Il y avait aussi la rampe du grand escalier, la rampe en cuivre, bien astiquée, un immense S majuscule à
60 plusieurs bosses, né dans les hauteurs de la maison et qui tombait comme un éclair d'or sur la peau d'ours du rez-de-chaussée.

Dès qu'il était seul, Tistou enfourchait la rampe et s'élançait pour des descentes vertigineuses.
65 Cette rampe c'était son toboggan privé, son tapis

volant, son chemin magique, que chaque matin le valet Carolus polissait, fourbissait[1] avec une ardeur farouche.

Car Monsieur Père et Madame Mère avaient le goût de tout ce qui brille, et l'on se donnait grand mal pour les satisfaire.

Le coiffeur, grâce à la brillantine dont nous avons déjà parlé, avait réussi à faire de la chevelure de Monsieur Père un casque à huit reflets que tout le monde admirait. Les chaussures de Monsieur Père étaient si bien cirées, si bien frottées, qu'elles semblaient, lorsqu'il marchait, lancer devant lui des étincelles.

Les ongles roses de Madame Mère, chaque jour passés au polissoir[2], brillaient comme dix petites fenêtres au lever du soleil. Autour du cou de Madame Mère, à ses oreilles, ses poignets et ses doigts, scintillaient colliers, boucles, bracelets et bagues de pierres précieuses, et lorsqu'elle sortait le soir, pour aller au théâtre ou au bal, toutes les étoiles de la nuit semblaient ternes à côté d'elle.

Le valet Carolus, utilisant une poudre de son invention, avait fait de la rampe le chef-d'œuvre que l'on sait. Il se servait aussi de cette poudre

---

1. **Polissait, fourbissait :** faisait briller en frottant.
2. **Polissoir :** petit instrument utilisé pour se faire briller les ongles.

90 pour astiquer les boutons de portes[1], les flambeaux d'argent, les cristaux des lustres, les salières, les sucriers et les boucles de ceintures.

Quant aux neuf voitures qui couchaient dans le garage, il fallait presque chausser des lunettes
95 noires pour les regarder. Lorsqu'on les mettait en route toutes ensemble et qu'elles avançaient dans les rues, les gens s'arrêtaient le long des trottoirs. On aurait dit la galerie des Glaces[2] en promenade.

— Mais c'est Versailles ! s'écriaient les plus
100 instruits.

Les distraits ôtaient leur chapeau, croyant saluer un enterrement. Les coquettes en profitaient pour se mirer dans les portières et se repoudrer le nez.

À l'écurie, on nourrissait neuf chevaux, plus beaux
105 les uns que les autres. Le dimanche, lorsqu'il y avait des visites, on installait les neuf chevaux dans le jardin, pour orner le paysage. Le Grand Noir allait sous le magnolia en compagnie de sa femme Belle Jument. Le poney Gymnastique prenait sa place
110 près du kiosque. Devant la maison, sur l'herbe verte, on alignait les six chevaux groseille, une race de

---

1. **Les boutons de portes :** les poignées de portes.
2. **La galerie des Glaces :** grande salle du château de Versailles, dont les murs sont couverts de miroirs.

chevaux rouges, extrêmement rares, qu'on élevait chez Monsieur Père et dont il était très fier.

Les garçons d'écurie, en uniforme de jockey, cou-
115 raient, la brosse en main, d'un cheval à l'autre, car il fallait que les animaux brillent aussi, surtout le dimanche.

— Mes chevaux doivent être comme des joyaux ! disait Monsieur Père à ses jockeys.

120 Cet homme fastueux[1] était bon ; on s'empressait donc de lui obéir. Et les jockeys brossaient les che-vaux, neuf poils dans un sens, neuf poils dans l'autre, si bien que la croupe des chevaux groseille ressem-blait à d'énormes rubis bien taillés. Les crinières
125 et les queues étaient tressées de papier d'argent.

Tistou adorait tous ces chevaux. La nuit, il rêvait qu'il dormait parmi eux, sur la paille blonde de l'écurie. Le jour, il allait à tout moment leur rendre visite.

130 Lorsqu'il mangeait un chocolat, il mettait le papier d'argent soigneusement de côté et le donnait au jockey chargé de soigner le poney Gymnastique. Car de tous les animaux, Gymnastique était de beaucoup son préféré ; et cela se comprend puisque
135 Tistou et le poney étaient à peu près de même taille.

---

1. **Fastueux** : généreux.

Ainsi, vivant dans la Maison-qui-brille, auprès de son père, un homme scintillant, et de sa mère, un vrai bouquet, au milieu de beaux arbres, de belles voitures et de beaux chevaux, Tistou était 140 un enfant très heureux.

Chapitre 3

Où l'on apprend
à connaître Mirepoil,
ainsi que l'usine
de Monsieur Père

Mirepoil, ainsi s'appelait la ville où Tistou était né et dont la maison et surtout l'usine de Monsieur Père faisaient la fortune et la réputation.

Mirepoil, à première vue, était une ville comme toutes les autres, avec église, prison, caserne, bureau de tabac, épicerie, bijouterie. Et pourtant cette ville comme toutes les autres était connue dans le monde entier parce que c'était à Mirepoil que Monsieur Père fabriquait des canons très demandés, des canons de tous calibres[1], des gros, des petits, des longs, des canons de poche, des canons montés sur roues, des canons pour trains, pour avions, pour tanks, pour bateaux, des canons pour tirer par-dessus les nuages, des canons pour tirer sous l'eau, et même une variété de canons extra-légers faits pour être portés à dos de mulets ou de chameaux

---

1. **Calibre** : diamètre intérieur du canon d'une arme.

dans les pays où les gens laissent pousser trop de cailloux et où les routes n'arrivent pas à passer.

En un mot, Monsieur Père était marchand de canons.

Depuis qu'il avait l'âge d'écouter et de comprendre, Tistou s'entendait répéter :

— Tistou, mon garçon, c'est un bon commerce que le nôtre. Les canons ne sont pas comme les parapluies, dont personne ne veut lorsqu'il fait du soleil, ou comme les chapeaux de paille, qui restent en devanture pendant les étés pluvieux. Quel que soit le temps, on vend du canon.

Les jours où Tistou n'avait pas faim, Madame Mère le conduisait à la fenêtre et lui montrait, très loin, tout au fond du jardin, bien au-delà du kiosque où se tenait le poney Gymnastique, l'usine monumentale qui appartenait à Monsieur Père.

Madame Mère faisait compter à Tistou les neuf immenses cheminées qui crachaient du feu toutes à la fois, puis elle le ramenait vers son assiette en lui disant :

— Mange ton potage, Tistou, car il te faut grandir. Un jour tu seras le maître de Mirepoil. Fabriquer des canons, c'est très fatigant, et l'on n'a que faire de freluquets[1] dans nos familles.

---

1. **Freluquet :** jeune homme mince et fragile.

Car nul ne doutait que Tistou ne prît un jour la suite de Monsieur Père pour diriger l'usine, tout comme Monsieur Père avait pris la succession de
45 Monsieur Grand-Père dont le portrait en peinture, le visage encadré d'une barbe brillante et la main posée sur un affût[1] de canon, pendait au mur du grand salon.

Et Tistou, qui n'était pas mauvais garçon, s'appli-
50 quait à manger sa soupe au tapioca.

---

1. **Affût :** support en bois ou en métal sur lequel on pose le canon.

Chapitre 4

Où Tistou
est envoyé à l'école
et n'y reste guère

Jusqu'à l'âge de huit ans, Tistou ignora l'école. Madame Mère, en effet, avait préféré commencer elle-même l'instruction de son fils et lui enseigner les rudiments de la lecture, de l'écriture et du calcul. Les résultats, il faut en convenir, n'étaient pas mauvais. Grâce à de très jolies images achetées spécialement, la lettre A s'était installée dans la tête de Tistou sous l'apparence d'un Âne, puis d'une Alouette, puis d'un Aigle ; la lettre B sous la forme d'une Bille, d'une Boule, d'un Ballon, *et cætera*. Pour le calcul, on se servait d'hirondelles posées sur des fils électriques. Tistou avait appris non seulement à additionner ou à soustraire, mais il parvenait même à diviser, par exemple, sept hirondelles par deux fils... ce qui produit trois hirondelles et demie par fil. Comment une demi-hirondelle pourrait-elle se tenir sur un fil électrique, cela c'est une autre affaire que tous les calculs du monde n'ont jamais pu expliquer !

20 Lorsque Tistou atteignit son huitième anniversaire, Madame Mère considéra que sa tâche était terminée et qu'il fallait confier Tistou à un véritable professeur.

On acheta donc à Tistou un très joli tablier à 25 carreaux, des bottines neuves qui lui serraient les pieds, un cartable, un plumier[1] noir décoré de personnages japonais, un cahier à grandes lignes, un cahier à petites lignes, et on le fit conduire par le valet Carolus à l'école de Mirepoil qui avait très 30 bonne réputation.

Tout le monde s'attendait à ce qu'un petit garçon si bien vêtu, qui avait des parents si beaux et si riches, et qui savait déjà diviser les hirondelles par moitiés et par quarts, tout le monde s'attendait à ce 35 que ce petit garçon-là fît des merveilles en classe.

Hélas, hélas ! L'école eut sur Tistou un effet imprévisible et désastreux.

Lorsque s'ouvrait le lent défilé des lettres qui marchent au pas sur le tableau noir, lorsque com-40 mençait à se dérouler la longue chaîne des trois-fois-trois, des cinq-fois-cinq, des sept-fois-sept,

---

1. **Plumier :** boîte rectangulaire en bois, fermée par un couvercle et servant à transporter crayons et stylos-plume.

Tistou éprouvait un picotement dans l'œil gauche et tombait bientôt profondément endormi.

Il n'était pourtant ni sot ni paresseux ni fatigué
45 non plus. Il était plein de bonne volonté.

« Je ne veux pas dormir, je ne veux pas dormir », se disait Tistou.

Il vissait les yeux au tableau, collait ses oreilles à la voix du maître. Mais il sentait venir le petit pico-
50 tement… Il essayait de lutter par tous les moyens contre le sommeil. Il se chantait tout bas une très jolie chanson de son invention :

Un quart d'hirondelle,
Est-ce que c'est la patte
55 *Ou est-ce que c'est l'aile ?*
Si c'était de la tarte
Je la couperais en quatre…

Rien à faire. La voix du maître se changeait en berceuse ; il faisait nuit sur le tableau noir ; le pla-
60 fond chuchotait à Tistou : « Pstt, pstt, par ici les beaux rêves ! » et la classe de Mirepoil devenait la classe aux songes.

— Tistou ! criait brusquement le maître.

— Je ne l'ai pas fait exprès, monsieur, répondait
65 Tistou, réveillé en sursaut.

— Cela m'est égal. Répétez-moi ce que je viens de dire !

— Six tartes... divisées par deux hirondelles...

— Zéro !

70 Le premier jour d'école, Tistou rentra chez lui les poches pleines de zéros.

Le second jour, il reçut en punition deux heures de retenue, c'est-à-dire qu'il resta deux heures de plus à dormir dans la classe.

75 Au soir du troisième jour, le maître remit à Tistou une lettre pour son père.

Dans cette lettre, Monsieur Père eut la douleur de lire ces mots :

Monsieur, votre enfant n'est pas comme tout le
80 *monde. Il nous est impossible de le garder.*

L'école renvoyait Tistou à ses parents.

Chapitre 5

Où le souci pèse sur la Maison-qui-brille et où l'on décide, pour Tistou, d'un nouveau système d'éducation

Le souci est une idée triste qui presse la tête au réveil et y reste accrochée toute la journée. Le souci se sert de n'importe quoi pour entrer dans les chambres ; il se faufile entre les feuilles avec le vent, il se met à cheval sur la voix des oiseaux, il court le long des fils de sonnettes.

Ce matin-là, à Mirepoil, le souci s'appelait : « Pas comme tout le monde. »

Le soleil ne se décidait pas à se lever.

« C'est bien ennuyeux de devoir réveiller ce pauvre Tistou, se disait-il. Dès qu'il aura les yeux ouverts, il se rappellera qu'il a été chassé de l'école... »

Le soleil mit une sourdine à sa dynamo[1] et jeta des petits rayons de rien du tout, empaquetés de brume ; le ciel resta gris au-dessus de Mirepoil.

---

1. **Mit une sourdine à sa dynamo :** brilla moins fort.

Mais le souci a plus d'un tour dans son sac ; il s'arrange toujours pour se faire remarquer. Il se glissa dans la grosse sirène de l'usine.

Et chacun dans la maison entendit cette grosse
20 sirène crier :

— Pas comme tout le mon-on-onde ! Tistou n'est pas comme tout le mon-on-onde !

Ainsi le souci pénétra dans la chambre de Tistou. « Que va-t-il m'arriver ? » se demanda celui-ci.
25 Et il renfonça la tête dans l'oreiller ; mais il ne put pas se rendormir. C'était désespérant, avouez-le, de si bien dormir en classe et si mal dans son lit !

Madame Amélie, la cuisinière, grommelait toute seule, en allumant ses fourneaux :
30 — Pas comme tout le monde, notre Tistou ? Et qu'est-ce qui me le prouve ? Il a deux bras, deux jambes... alors ?

Le valet Carolus, tout en astiquant la rampe de l'escalier d'un mouvement rageur, répétait :
35 — Pas comme ti le monde, Tisti ! Qu'on vienne mi le dire, à mi !

Carolus, nous tenons à le préciser, avait un léger accent étranger.

À l'écurie, les jockeys se chuchotaient :
40 — Pas comme tout le monde, un enfant si gentil... Vous y croyez, vous ?

Et comme les chevaux partagent les soucis des hommes, les pur-sang groseille eux-mêmes paraissaient nerveux, frappaient leurs bat-flanc[1], tiraient
45 sur leur longe[2]. Trois crins blancs avaient poussé brusquement au front de Belle Jument.

Seul le poney Gymnastique demeurait étranger à cette agitation et mangeait son foin d'un air tranquille en découvrant ses belles dents blanches
50 terminées par un petit as de trèfle.

Mais à part ce poney qui jouait l'indifférent, chacun en vérité se demandait ce qu'on allait faire de Tistou.

Et ceux qui se posaient la question avec le plus
55 d'inquiétude étaient forcément ses parents.

Devant sa glace, Monsieur Père se faisait briller la tête, mais sans joie et par habitude.

« Voilà un enfant, réfléchissait-il, qui semble plus difficile à élever qu'un canon. »

60 Rose sur ses oreillers roses, Madame Mère laissa glisser une larme dans son café au lait.

— S'il s'endort en classe, comment l'instruire ? demanda-t-elle à Monsieur Père.

— La distraction n'est peut-être pas une maladie
65 incurable, répondit celui-ci.

---

1. **Bat-flanc :** cloison séparant deux chevaux dans une écurie.
2. **Longe :** corde servant à attacher un cheval.

— La rêverie, en tout cas, est moins dangereuse que la bronchite, reprit Madame Mère.

— Il faut tout de même que Tistou devienne un homme, dit Monsieur Père.

70 Après cet échange de fortes paroles, ils se turent un moment.

« Que faire, que faire ? » pensaient-ils chacun de son côté.

Monsieur Père était un homme aux décisions 75 rapides et énergiques. Diriger une usine de canons vous trempe l'âme[1]. D'autre part, il aimait beaucoup son fils.

— C'est très simple ; j'ai trouvé, déclara-t-il. Tistou n'apprend rien à l'école ; eh bien ! il n'ira plus dans 80 aucune école. Ce sont les livres qui l'endorment ; supprimons les livres. Nous allons essayer sur lui un nouveau système d'éducation... puisqu'il n'est pas comme tout le monde ! Il apprendra les choses qu'il doit savoir en les regardant directement. On 85 lui enseignera sur place à connaître les cailloux, le jardin, les champs ; on lui expliquera comment fonctionnent la ville, l'usine et tout ce qui pourra l'aider à devenir une grande personne. La vie, après tout, c'est la meilleure école qui soit. On verra bien 90 le résultat.

---

1. **Trempe l'âme :** durcit, fortifie le caractère.

44

Madame Mère, avec enthousiasme, approuva la décision de Monsieur Père. Elle regretta presque de n'avoir pas d'autres enfants auxquels appliquer ce séduisant système éducatif.

95 Pour Tistou, c'en était fini des tartines avalées en hâte, du cartable à traîner, du pupitre où la tête tombe toute seule et des zéros par poignées dans la poche ; une nouvelle vie allait commencer.

Et le soleil se remit à briller.

Chapitre 6

Où Tistou
prend une leçon de jardin,
et découvre, du même coup,
qu'il a les pouces verts

Tistou mit son chapeau de paille pour aller prendre sa leçon de jardin.

Monsieur Père avait jugé logique de commencer par là l'expérience du nouveau système d'éducation. Une leçon de jardin, c'était au fond une leçon de terre, la terre sur laquelle nous marchons, qui produit les légumes que nous mangeons, les herbes dont on nourrit les animaux jusqu'à ce qu'ils soient assez gros pour être mangés...

— La terre, avait déclaré Monsieur Père, est à l'origine de tout.

« Pourvu que le sommeil ne me reprenne pas ! » se disait Tistou en se rendant à la leçon.

Dans la serre, le jardinier Moustache, prévenu par Monsieur Père, attendait son élève.

Le jardinier Moustache était un vieil homme solitaire, peu bavard et pas toujours aimable. Une extraordinaire forêt, couleur de neige, lui poussait sous les narines.

20 La moustache de Moustache, comment vous la décrire ? Une véritable merveille de la nature. Les jours de bise, lorsque le jardinier s'en allait la pelle sur l'épaule, c'était superbe à voir ; on aurait dit deux flammes blanches qui lui sortaient du nez et
25 lui battaient les oreilles.

Tistou aimait bien le vieux jardinier, mais il en avait un peu peur.

— Bonjour, Monsieur Moustache, dit Tistou en soulevant son chapeau.

30 — Ah ! te voilà, répondit le jardinier. Eh bien ! on va voir de quoi tu es capable. Voici un tas de terreau et voici des pots à fleurs. Tu vas remplir les pots avec du terreau[1], enfoncer ton pouce au milieu pour faire un trou et ranger les pots en ligne
35 le long du mur. Après nous mettrons dans les trous les graines qui conviennent.

Les serres de Monsieur Père étaient admirables et dignes en tout point du reste de la maison. Sous l'abri des vitres étincelantes, on entretenait, grâce
40 à un gros calorifère[2], une atmosphère humide et

---

1. **Terreau :** terre contenant de l'engrais naturel.
2. **Calorifère :** radiateur.

chaude ; les mimosas y fleurissaient en plein hiver[1] ;
il y poussait des palmiers importés d'Afrique ; on y
cultivait des lis pour leur beauté, des tubéreuses et
des jasmins pour leur parfum, et même des orchi-
45 dées, qui ne sont pas belles et qui ne sentent rien,
pour une qualité tout à fait inutile à une fleur et
qui s'appelle la rareté.

Moustache était seul maître dans cette partie du
domaine. Quand Madame Mère faisait visiter les
50 serres à ses amies du dimanche, le jardinier, habillé
d'un tablier neuf, s'installait sur la porte, aimable
et causant comme une pioche.

À la moindre tentative, de la part d'une de ces
dames, de toucher aux fleurs, ou seulement d'en
55 respirer le parfum, Moustache bondissait sur l'im-
prudente et lui disait :

— Non mais ! Vous voulez peut-être me les tuer,
me les étrangler, me les suffoquer ?

Tistou, en accomplissant la tâche que Moustache
60 lui avait donnée, eut une bonne surprise : ce travail
ne l'endormait pas. Au contraire, il y prenait plaisir.
Il trouvait que le terreau avait une bonne odeur.
Un pot vide, une pelletée, un trou avec le pouce et
le tour était joué. On passait au suivant. Les pots
65 s'alignaient le long du mur.

---

1. À noter que le mimosa est un arbuste à floraison hivernale.

Pendant que Tistou continuait avec beaucoup d'application, Moustache faisait lentement le tour du jardin. Et Tistou découvrit ce jour-là pourquoi le vieux jardinier parlait si peu aux gens ; c'est qu'il
70 parlait aux fleurs.

Vous comprenez aisément que tourner le compliment[1] à chaque rose d'un massif, à chaque œillet d'un buisson, ne laisse guère de voix, le soir venu, pour lancer des « Bonne nuit, monsieur »
75 ou « Bon appétit, madame » ou encore des « À vos souhaits ! » lorsqu'on éternue devant vous, toutes choses qui font dire de quelqu'un : « Comme il est poli ! »

Moustache allait d'une fleur à l'autre, s'inquiétait
80 de la santé de chacune.

— Alors, la rose-thé, toujours gamine ; on joue à garder des boutons en réserve pour les faire éclater quand personne ne s'y attend ? Et toi, le volubilis, tu te prends pour le roi de la montagne, à vouloir
85 t'échapper vers le haut de mes châssis[2] ! En voilà des façons !

Puis il se tourna vers Tistou et lui cria de loin :

— Alors, c'est pour aujourd'hui ou c'est pour demain ?

---

1. **Tourner le compliment :** adresser un compliment.
2. **Châssis :** abri vitré servant à protéger la végétation.

90 — Ne vous impatientez pas, professeur ; je n'ai plus que trois pots à remplir, répondit Tistou.

Il se hâta de terminer et alla rejoindre Moustache à l'autre bout du jardin.

— Voilà, j'ai fini.

95 — Bon, nous allons voir ça, fit le jardinier.

Ils revinrent lentement, parce que Moustache en profitait, ici pour féliciter une grosse pivoine de sa bonne mine, là pour encourager un hortensia à devenir bleu... Soudain, ils s'immobilisèrent, ébahis, 100 bouleversés, stupéfaits.

— Voyons, voyons, je ne rêve pas, dit Moustache en se frottant les yeux. Tu vois bien la même chose que moi ?

— Mais oui, Monsieur Moustache.

105 Le long des murs, là, à quelques pas, tous les pots remplis par Tistou avaient fleuri, en cinq minutes !

Entendons-nous bien ; il ne s'agissait pas d'une floraison timide ; de quelques pousses hésitantes et pâles. Non ! dans chaque pot s'épanouissaient 110 de superbes bégonias, et tous ces bégonias alignés formaient un épais buisson rouge.

— Ce n'est pas croyable, disait Moustache. Il faut au moins deux mois pour faire des bégonias comme ceux-ci !

115   Un prodige[1] est un prodige ; on commence par le constater et ensuite on essaie de l'expliquer.

Tistou demanda :

— Mais puisqu'on n'avait pas mis de graines, Monsieur Moustache, d'où viennent ces fleurs ?

120   — Mystère... mystère..., répondit Moustache.

Puis, brusquement, il prit entre ses mains rugueuses les petites mains de Tistou, en disant :

— Montre-moi donc tes pouces !

Il examina attentivement les doigts de son élève, au-dessus, au-dessous, dans l'ombre et dans la lumière.

— Mon garçon, dit-il enfin après mûre réflexion, il t'arrive une chose aussi surprenante qu'extraordinaire. Tu as les pouces verts.

130   — Verts ? s'écria Tistou, fort étonné. Moi, je les vois roses, et même plutôt sales pour le moment. Ils ne sont pas verts.

— Bien sûr, bien sûr, tu ne peux pas le voir, reprit Moustache. Un pouce vert est invisible. Cela se passe sous la peau ; c'est ce qu'on appelle un talent caché. Seul un spécialiste peut le découvrir. Or je suis spécialiste et je t'affirme que tu as les pouces verts.

— À quoi ça sert, les pouces verts ?

---

1. **Prodige :** miracle.

140 — Ah ! c'est une qualité merveilleuse, répondit le jardinier, un vrai don du Ciel ! Vois-tu, il y a des graines partout. Non seulement dans la terre ; mais il y en a sur le toit des maisons, sur le rebord des fenêtres, sur les trottoirs, sur les palissades[1], sur les 145 murs. Des milliers, des milliards de graines qui ne servent à rien. Elles sont là, elles attendent qu'un coup de vent les pousse vers un champ ou un jardin. Souvent elles meurent, prises entre deux pierres, sans avoir pu se changer en fleurs. Mais si un pouce 150 vert se pose sur une de ces graines, où qu'elle soit, la fleur pousse, instantanément. Du reste, tu en as la preuve devant toi. Tes pouces ont découvert dans la terre des graines de bégonias, et tu vois le résultat. Crois-moi, je t'envie ; ça m'aurait été bien 155 utile, dans mon métier, d'avoir les pouces verts.

Tistou ne parut pas enchanté de la révélation.

— On va encore dire que je ne suis pas comme tout le monde, murmura-t-il.

— Le mieux, répliqua Moustache, c'est de n'en 160 parler à personne. À quoi bon éveiller la curiosité ou la jalousie ? Les talents cachés risquent toujours de nous attirer des ennuis. Tu as les pouces verts, c'est entendu. Eh bien ! garde-le pour toi, et que cela reste un secret entre nous.

---

1. **Palissade :** clôture faite de planches.

165   Sur le carnet de notes, remis par Monsieur Père, et que Tistou devait faire signer à la fin de chaque leçon, le jardinier Moustache écrivit simplement :

Ce garçon présente de bonnes dispositions pour le jardinage.

Chapitre 7

Où l'on confie Tistou
à Monsieur Trounadisse,
qui lui donne
une leçon d'ordre

Sans doute le tempérament explosif de Monsieur Trounadisse lui venait-il d'une longue fréquentation des canons.

Monsieur Trounadisse était l'homme de confiance de Monsieur Père. Monsieur Trounadisse surveillait les nombreux employés de l'usine et les comptait chaque matin pour s'assurer qu'il n'en manquait aucun ; il regardait à l'intérieur des canons pour voir s'ils étaient bien droits ; il vérifiait le soir la fermeture des portes et souvent travaillait tard dans la nuit afin de contrôler l'alignement des chiffres dans les grands livres de comptes. Monsieur Trounadisse était un homme d'ordre.

Aussi Monsieur Père avait-il pensé à lui pour poursuivre dès le lendemain l'éducation de Tistou.

— Aujourd'hui, leçon de ville et leçon d'ordre ! cria Monsieur Trounadisse, debout dans le vestibule et comme s'il s'était adressé à un régiment.

Il convient de préciser que Monsieur Trounadisse
20 avait été dans l'armée avant d'être dans les canons, et s'il n'avait pas inventé la poudre, au moins il savait s'en servir.

Tistou se laissa glisser le long de la rampe.

— Veuillez remonter, lui dit Monsieur
25 Trounadisse, et descendre par les marches.

Tistou obéit, bien qu'il lui semblât inutile de remonter pour redescendre, puisqu'il était déjà en bas.

— Que portez-vous sur la tête ? demanda
30 Monsieur Trounadisse.

— Une casquette à carreaux...

— Alors mettez-la droite.

N'allez pas croire que Monsieur Trounadisse était un méchant homme ; il avait seulement les
35 oreilles très rouges, et pour un oui ou pour un non aimait à se fâcher.

« J'aurais préféré continuer mon éducation avec Moustache », se disait Tistou.

Et il se mit en route à côté de Monsieur
40 Trounadisse.

— Une ville, commença Monsieur Trounadisse qui avait bien préparé la leçon, se compose, comme vous pouvez le voir, de rues, de monuments, de maisons et de gens qui habitent dans ces maisons.
45 À votre avis, qu'est-ce qui est le plus important dans une ville ?

— Le jardin des plantes, répondit Tistou.

— Non, répliqua Monsieur Trounadisse, le plus important, dans une ville, c'est l'ordre. Nous allons
50 donc visiter d'abord le monument où l'on maintient l'ordre. Sans ordre, une ville, un pays, une société, ne sont que du vent et ne peuvent durer. L'ordre est une chose indispensable et, pour conserver l'ordre, il faut punir le désordre !

55 « Certainement, Monsieur Trounadisse doit avoir raison, pensa Tistou. Mais pourquoi crie-t-il si fort ? Voilà une grande personne qui a une voix de trompette. Faut-il faire tant de bruit, à cause de l'ordre ? »

60 Dans les rues de Mirepoil, les passants se retournaient sur eux, et Tistou en était gêné.

— Tistou, ne vous laissez pas distraire. Qu'est-ce que l'ordre ? demanda Monsieur Trounadisse d'un ton sévère.

65 — L'ordre ? C'est quand on est content, dit Tistou.

Monsieur Trounadisse fit « Hum ! » et ses oreilles devinrent plus rouges qu'elles n'étaient d'habitude.

— J'ai remarqué, continua Tistou sans se laisser intimider, que mon poney Gymnastique, par exemple, lorsqu'il est bien bouchonné[1], bien peigné et qu'il a la crinière tressée de papier d'argent, est plus content que lorsqu'il est couvert de crotte. Et je sais aussi que le jardinier Moustache fait des sourires aux arbres lorsqu'ils sont bien taillés. Ce n'est pas de l'ordre, ça ?

Cette réponse ne parut guère satisfaire Monsieur Trounadisse dont les oreilles devinrent encore plus rouges.

— Et que fait-on des gens qui sèment le désordre ? demanda-t-il.

— Ils doivent être punis, sûrement, répondit Tistou, qui pensa que « semer le désordre » c'était un peu comme « semer ses pantoufles » dans sa chambre ou « semer ses jouets » dans le jardin.

— On les met en prison, ici, déclara Monsieur Trounadisse en montrant à Tistou, d'un grand geste, un immense mur, tout gris, sans une fenêtre, un mur qui n'était pas normal.

— C'est ça, la prison ? dit Tistou.

---

1. **Bouchonné :** frotté avec de la paille.

90 — C'est cela, dit Monsieur Trounadisse. C'est le monument qui sert à maintenir l'ordre.

Ils longèrent le mur et parvinrent devant une haute grille noire, hérissée de pointes piquantes. Et derrière la grille noire, on voyait d'autres grilles
95 noires, et derrière le mur triste, d'autres murs tristes. Et tous les murs et toutes les grilles étaient également surmontés de piquants.

— Pourquoi le maçon a-t-il mis ces vilains piquants partout ? demanda Tistou. À quoi cela
100 sert-il ?

— À empêcher les prisonniers de s'évader.

— Si cette prison était moins laide, dit Tistou, ils auraient peut-être moins envie de s'en aller.

Les joues de Monsieur Trounadisse devinrent
105 aussi rouges que ses oreilles.

« Étrange enfant, pensa-t-il. Toute son éducation est à faire. »

Et à haute voix, il ajouta :

— Tu devrais savoir qu'un prisonnier est un
110 homme méchant.

— On le met donc là pour le guérir de sa méchanceté ? dit Tistou.

— On le met là pour l'empêcher de nuire aux autres hommes.

115 — Il guérirait sûrement plus vite si l'endroit était moins laid, dit encore Tistou.

« Ah ! il est têtu ! » pensa Monsieur Trounadisse.

Tistou aperçut, derrière les grilles, des prisonniers qui marchaient en rond, tête basse, sans prononcer
120 un mot. Ils paraissaient affreusement malheureux, avec leur crâne rasé, leurs vêtements rayés et leurs grosses chaussures.

— Qu'est-ce qu'ils font là ?

— Ils sont en récréation, dit Monsieur
125 Trounadisse.

« Eh bien, vrai ! pensa Tistou. Si c'est ça leur récréation, comment doivent être leurs heures de classe ! Vraiment cette prison était trop triste. »

Il avait envie de pleurer, et ne prononça pas un
130 mot pendant tout le chemin du retour. Monsieur Trounadisse interpréta ce silence comme un bon signe et pensa que la leçon d'ordre avait porté ses fruits.

Néanmoins, il écrivit sur le carnet de notes de
135 Tistou :

Cet enfant est à surveiller de près ; il se pose trop de questions.

Chapitre 8

Où Tistou
fait un rêve affreux,
et ce qu'il en résulte

Certes, Tistou se posait trop de questions ; il s'en posait même en dormant.

La nuit qui suivit la leçon d'ordre, il eut un épouvantable cauchemar. Bien sûr, les rêves ne sont
5 que des rêves, et il ne faut pas leur accorder une importance exagérée. Mais on ne peut s'empêcher de rêver.

Or, Tistou, dans son sommeil, vit son poney Gymnastique entièrement rasé et qui marchait en
10 rond entre de grands murs sombres. Et derrière lui les pur-sang[1] groseille, la tête rasée eux aussi, habillés de costumes rayés, le pied lourd et traînard dans des bottines ridicules, tournaient, tournaient sans s'arrêter. Soudain le poney Gymnastique, regardant
15 à droite et à gauche pour s'assurer qu'on ne le voyait pas, prit son élan, bondit afin de franchir la grille et retomba sur les grands piquants de fer. Planté

---

1. **Pur-sang :** cheval de course de pure race.

là-haut, il battait l'air de ses quatre chaussures et hennissait lamentablement...

20   Tistou se réveilla en sursaut, le front moite[1], le cœur battant.

« Heureusement, ce n'était qu'un rêve, se dit-il bien vite. Gymnastique est à l'écurie, et les pur-sang aussi. »

25   Mais il ne parvint pas à se rendormir.

« Ce qui serait si triste pour des chevaux doit être encore pire pour des hommes, pensait-il. Pourquoi rendre aussi laids ces pauvres prisonniers ; ils n'en deviendront pas meilleurs. Je sais bien que moi si 30 l'on m'enfermait là, même sans avoir rien fait de mal, je finirais sûrement par être très méchant. Que pourrait-on faire pour qu'ils soient moins malheureux ? »

Il entendit sonner onze heures, puis minuit, au 35 clocher de Mirepoil. Il continuait de se poser des questions.

Et soudain, une petite idée lui gratta le fond de la tête.

« Et si on leur faisait pousser des fleurs, à ces 40 gens-là ? Cela rendrait l'ordre moins laid et les prisonniers deviendraient peut-être plus sages. Si

---

1. **Moite :** légèrement couvert de sueur.

j'essayais mes pouces verts ? J'en parlerai à Monsieur Trounadisse... »

Mais il pensa aussitôt que Monsieur Trounadisse
45 deviendrait tout rouge. Et il se rappela le conseil de Moustache : ne pas parler de ses pouces verts.

« Il faut que je fasse cela tout seul, sans qu'on le sache. »

Une idée qui s'installe dans la tête devient réso-
50 lution. Une résolution ne laisse l'âme en paix que lorsqu'on l'a accomplie. Tistou sentit qu'il ne pourrait pas se rendormir avant d'avoir mis son projet à exécution.

Il sortit de son lit, chercha ses pantoufles ; l'une
55 s'était cachée sous la commode, et l'autre... l'autre ?... l'autre se moquait de lui, pendue à la poignée de la fenêtre. Voilà ce que c'est, de lancer ses pantoufles en l'air !

Tistou se glissa hors de la chambre ; les gros tapis
60 étouffaient ses pas. Doucement, il gagna la rampe, se laissa glisser sur le ventre.

Dehors, la lune était pleine. Elle avait gonflé ses deux joues avec de l'air tout neuf.

La lune est plutôt favorable aux gens qui se pro-
65 mènent la nuit. À peine aperçut-elle Tistou, dans sa longue chemise blanche, au milieu de la pelouse, qu'elle se donna vite un grand coup de polissoir

en se servant d'un nuage qui se trouvait à portée de sa main.

70   « Si je ne veille pas sur ce garçon-là, se dit-elle, il ira finir le nez dans un fossé. »

Elle reparut, plus brillante que jamais, et elle adressa même un message à toutes les étoiles de la Voie lactée[1], afin qu'elles envoient leurs meilleurs
75 rayons.

Ainsi, protégé par la lune et par les étoiles, Tistou, moitié marchant, moitié courant par les rues désertes, arriva sans encombre[2] jusqu'à la prison.

Il n'était pas bien tranquille, on le comprend.
80 C'était sa première expérience.

« Pourvu que mes pouces verts fonctionnent bien ! Pourvu que Moustache ne se soit pas trompé ! »

Tistou appliqua ses pouces partout où il put, par terre, à l'endroit où le mur s'enfonçait dans le
85 trottoir, et dans les trous entre les pierres, et au pied de chaque barreau de grille. Il travailla très consciencieusement. Il n'oublia pas les serrures de la porte d'entrée, ni même la guérite[3] où dormait un gendarme.

---

1. **La Voie lactée** : la multitude d'étoiles qui forme une bande blanchâtre dans le ciel nocturne.
2. **Sans encombre** : sans difficulté.
3. **Guérite** : petit abri en bois.

90   Et quand il eut fini, il rentra chez lui, et cette fois s'endormit sans difficulté.

Le valet eut même toutes les peines du monde, le lendemain matin, à le réveiller.

— Tisti, voyons, il fi grrand sôl ille !

95   Le valet Carolus, nous croyons vous l'avoir déjà dit, parlait avec un léger accent étranger.

Tistou avait une question sur le bout de la langue, mais il n'osa pas la poser. Il n'eut toutefois pas longtemps à attendre pour connaître le résultat de son
100 entreprise.

Car la prison... Ah ! là, là ! Un coup de canon tiré par Monsieur Trounadisse sur la grand-place de Mirepoil n'aurait pas fait plus de bruit. Imaginez l'effarement de toute une cité devant un pareil pro-
105 dige ! Imaginez la stupeur des Miropoilus (ainsi se nomment les habitants de Mirepoil) en découvrant leur prison transformée en château de fleurs, en palais des merveilles !

Avant dix heures, la ville entière était au courant
110 de la fabuleuse nouvelle. À midi, toute la population se tenait assemblée devant le grand mur couvert de roses et les grilles changées en charmilles[1].

Pas une fenêtre de la prison, pas un barreau qui n'eût reçu sa part de fleurs ! Les tiges grimpaient,

---

1. **Charmille :** allée de verdure.

115 s'enroulaient, retombaient ; des cactus, sur la crête
des murs, remplaçaient partout les affreux piquants.

Le plus curieux était peut-être la guérite où le
chèvrefeuille avait poussé si vite que le gendarme
de garde s'y trouvait immobilisé. Les plantes avaient
120 pris son fusil pour tuteur et bloqué l'entrée. La foule,
ébahie, contemplait ce gendarme qui, pacifique et
résigné, fumait sa pipe à l'abri d'une tonnelle[1].

Personne ne pouvait s'expliquer ce miracle, personne... sauf, bien entendu, le jardinier Moustache,
125 qui vint voir, lui aussi, et repartit sans rien dire.

Mais l'après-midi, lorsque Tistou, ayant remis son
chapeau de paille, s'avança vers lui pour prendre
sa deuxième leçon de jardin, Moustache l'accueillit
par ces mots :
130 — Ah ! te voilà, toi ! Pas mal, pas mal, le coup de
la prison. Pour un début, c'est un joli début.

Tistou se sentit un peu gêné.

— Sans vous, Monsieur Moustache, je n'aurais
jamais su que j'avais les pouces verts, dit Tistou en
135 manière de remerciement.

Mais Moustache n'aimait guère les effusions[2].

— C'est bon, c'est bon, répondit-il. Mais tu as
abusé du chèvrefeuille. Et puis fais attention à l'aris-

---

1. **Tonnelle :** petite construction sur laquelle on fait grimper des plantes.
2. **Effusions :** élans de reconnaissance.

toloche. C'est un grimpant qui fournit bien, mais
140 sa feuille est sombre. La prochaine fois, force un
peu sur le volubilis ; ça mettra une note de gaieté.

Ainsi, Moustache devint le conseiller secret de
Tistou.

Chapitre 9

Où les savants
ne découvrent rien,
mais où Tistou, lui,
fait une découverte

Les grandes personnes ont la manie de **vouloir** à toute force expliquer l'inexplicable.

Tout ce qui les surprend les agace, et, **dès** qu'il se produit dans le monde quelque chose **de** nou-
5 veau, elles s'acharnent à vouloir **démontrer** que cette chose nouvelle ressemble à une autre qu'elles connaissaient déjà.

Qu'un volcan s'éteigne paisiblement, **comme** une cigarette à bout de course, et voilà **aussitôt** une
10 douzaine de savants à lunettes qui se **penchent** au-dessus du cratère, écoutent, reniflent, **se font** descendre par des cordes, s'écorchent les **genoux**, remontent, enferment de l'air dans des **tubes**, font des dessins, écrivent des livres, se disputent, au
15 lieu de constater simplement : « Ce volcan-là s'est arrêté de fumer ; il doit avoir le nez **bouché**. »

Sont-ils jamais arrivés, au bout du compte, à nous dire comment les volcans fonctionnent ?

Le mystère de la prison de Mirepoil fournissait
20 aux grandes personnes une bonne occasion de s'agiter. Les journalistes et les photographes arrivèrent les premiers, parce que c'est leur métier, et ils occupèrent immédiatement toutes les chambres de l'hôtel du Petit-Saint-Jean et des Ambassadeurs
25 qui était le seul de la ville.

Puis accoururent d'un peu partout, en train, en avion, en taxi, et même certains à bicyclette, les savants qu'on appelle botanistes[1] et qui s'occupent de couper les fleurs en quatre, de leur donner des
30 noms difficiles, de les faire sécher sur du papier buvard et de voir en combien de temps elles perdent leurs couleurs.

Leur métier exige beaucoup d'études.

Quand des botanistes se rassemblent ils forment
35 un congrès[2]. Il y avait donc à Mirepoil un congrès de botanistes. S'il existe une infinie variété de fleurs, en revanche on ne connaît que trois sortes de botanistes : les botanistes distingués[3], les botanistes

---

1. **Botanistes** : scientifiques qui s'occupent des végétaux.
2. **Congrès** : réunion de personnes qui échangent leurs idées sur un sujet.
3. **Distingués** : excellents.

réputés, et les éminents[1] botanistes. Ils se saluent
40 en s'appelant : « Maître... Monsieur le Professeur...
Mon honoré confrère... »

Comme l'hôtel était rempli par les journalistes
qui refusaient d'en bouger, on fut obligé, pour loger
les botanistes, de leur installer un camping sur la
45 grand-place. On aurait cru un cirque, mais c'était
moins amusant.

Tistou vivait dans l'anxiété.

— Si l'on découvre que c'est moi, confia-t-il à
Moustache, ça va en faire une histoire !

50 — Ne t'inquiète pas, répondit le jardinier ; ce
sont des gens qui ne savent même pas faire un
bouquet. Ils ne découvriront rien, j'en mettrais
mes moustaches à couper !

Et, en effet, au bout d'une semaine pendant la-
55 quelle, une loupe en main, ils examinèrent chaque
fleur et chaque feuille, les savants n'étaient pas
plus avancés. Les fleurs de la prison étaient des
fleurs comme toutes les autres, il fallait bien le
reconnaître ; leur seule étrangeté était d'avoir
60 poussé en une nuit. Alors les savants commencèrent à se disputer, à s'accuser les uns les autres
de mensonge, d'ignorance et de mystification[2].

---

1. **Éminents :** qui sont très remarquables.
2. **Mystification :** tromperie.

Et cette fois leur camping ressemblait tout à fait à un cirque.

65 Mais un congrès doit toujours se terminer par une déclaration. Les botanistes finirent donc par en rédiger une, pleine de mots latins, pour que personne n'y puisse rien comprendre ; ils parlèrent de conditions atmosphériques par-
70 ticulières, de petits oiseaux qui auraient laissé choir[1] les graines et d'une fertilité[2] exceptionnelle des murs de la prison due à un certain usage qu'en faisaient les chiens de Mirepoil. Puis ils s'en allèrent dans un autre pays où l'on avait décou-
75 vert une cerise sans noyau, et Tistou retrouva la tranquillité.

Et les prisonniers, dans tout cela ? Vous avez certainement envie de connaître ce que pensaient les prisonniers.

80 Sachez donc que la surprise des botanistes, leur agitation, leur émoi[3], ne furent rien auprès de l'émerveillement des prisonniers.

Comme ils ne voyaient plus de barreaux devant leurs cellules, plus de barbelés ni de piquants aux
85 murs, ils oublièrent de s'évader. Les plus grincheux

---

1. **Laisser choir :** laisser tomber.
2. **Fertilité :** qualité d'un endroit où la végétation pousse très bien.
3. **Émoi :** émotion.

cessèrent de récriminer, tant ils avaient plaisir à contempler ce qui les entourait ; les méchants perdirent l'habitude de se fâcher et de se battre. Le chèvrefeuille qui poussait dans les serrures
90 empêchait de fermer les portes, mais les libérés eux-mêmes refusèrent de s'en aller ; ils avaient pris goût au jardinage.

Et la prison de Mirepoil fut citée en exemple dans le monde entier.

95 Qui se réjouissait le plus ? C'était Tistou. Il triomphait en secret.

Mais le secret est fatigant à garder.

Lorsqu'on est heureux, on a envie de le dire et même de le crier. Or, Moustache n'avait pas
100 toujours le temps d'écouter les confidences de Tistou. Ainsi Tistou prit l'habitude, quand le secret l'étouffait un peu, de parler au poney Gymnastique.

Les oreilles de Gymnastique étaient doublées
105 d'une jolie fourrure beige, très douce et très agréable aux lèvres. Tistou, en passant, y glissait volontiers quelques mots.

— Gymnastique, écoute-moi bien et ne le répète à personne, dit Tistou un matin qu'il rencontra le
110 poney dans la prairie.

Gymnastique remua l'oreille.

— J'ai découvert quelque chose d'extraordinaire !
reprit Tistou. Les fleurs empêchent le mal de passer.

Chapitre 10

Où Tistou retrouve Monsieur Trounadisse qui lui donne une leçon de misère

Il faut des événements extraordinaires pour que l'on donne vacances aux petits garçons. Une prison qui fleurit provoque, certes, une vive émotion, mais on s'en remet assez vite, et l'on finit
5 par trouver naturel que pousse un gigantesque massif[1] là où naguère[2] s'élevait un mur gris.

On s'habitue à tout, même à l'exceptionnel.

Pour Monsieur Père et Madame Mère, l'éducation de Tistou redevint bientôt le principal souci.

10 — Je crois qu'il serait bon maintenant de lui montrer un peu ce qu'est la misère, disait Monsieur Père.

— Ensuite, on devrait lui enseigner ce qu'est la maladie, pour qu'il prenne bien garde à sa santé, disait Madame Mère.

---

1. **Massif :** groupe d'arbres.
2. **Naguère :** auparavant.

15 — Monsieur Trounadisse lui avait donné une très belle leçon d'ordre ; confions-lui aussi la leçon de misère.

C'est ainsi que Tistou apprit dès le lendemain, sous la conduite de Monsieur Trounadisse, que la 20 misère vivait dans des taudis[1].

On avait conseillé à Tistou de mettre pour cette visite son vieux béret bleu.

Monsieur Trounadisse emboucha sa plus forte voix de trompette[2] afin d'expliquer à Tistou que les 25 taudis se trouvaient en bordure de la ville.

— Cette zone des taudis est un fléau, déclara-t-il.

— Qu'est-ce que c'est qu'un fléau ? demanda Tistou.

— Un fléau est un mal qui atteint beaucoup de 30 gens, un très grand mal.

Monsieur Trounadisse n'avait pas besoin d'en prononcer davantage. Tistou se frottait déjà les pouces.

Mais ce qui l'attendait était pire à voir qu'une pri- 35 son. Des chemins étroits, boueux, malodorants, se tortillaient entre des planches pourries assemblées tout de travers. Ces planches faisaient semblant de

---

1. **Taudis :** habitation misérable.
2. **Emboucha sa plus forte voix de trompette :** prit une voix forte et grandiloquente.

former des cabanes, mais des cabanes si trouées, si branlantes[1] au moindre vent, que l'on avait peine
40 à croire qu'elles pussent tenir debout. Les portes étaient rapiécées, ici avec du carton, là avec un vieux morceau de boîte à conserves.

À côté de la ville propre, de la ville riche construite en pierre et balayée tous les matins, la zone des
45 taudis était comme une autre ville, hideuse, et qui faisait honte à la première. Ici pas de réverbères, pas de trottoirs, pas de boutiques, pas d'arroseuse municipale.

« Un peu de gazon boirait la boue et rendrait
50 ces chemins plus agréables, et puis du volubilis en quantité, avec des clématites, renforcerait ces pauvres cabanes prêtes à s'écrouler », pensait Tistou qui, les pouces en avant, tâtait toutes les laideurs qu'il rencontrait.

55 Dans ces cabanes vivaient plus de gens qu'elles n'en pouvaient contenir ; ces gens, forcément, avaient mauvaise mine. « À vivre serrés les uns contre les autres, et sans lumière, ils deviennent pâles... comme les endives que Moustache fait pous-
60 ser dans la cave. Moi je ne serais pas heureux si l'on me traitait comme une endive. »

---

1. **Branlantes :** qui tremblent.

Tistou décida de faire croître des géraniums le long des lucarnes pour que les enfants des taudis voient un peu de couleur.

65 — Mais pourquoi tous ces gens-là logent-ils dans des cabanes à lapins ? demanda-t-il soudain.

— Parce qu'ils n'ont pas d'autre maison, évidemment ; c'est une question stupide, répondit Monsieur Trounadisse.

70 — Et pourquoi n'ont-ils pas de maison ?

— Parce qu'ils n'ont pas de travail.

— Pourquoi n'ont-ils pas de travail ?

— Parce qu'ils n'ont pas de chance.

— Alors, ils n'ont rien du tout ?

75 — C'est cela, Tistou, la misère.

« Demain, au moins, ils auront quelques fleurs », se dit Tistou.

Il vit un homme battre une femme, et un enfant s'enfuir en pleurant.

80 — Est-ce que la misère rend méchant ? dit Tistou.

— Souvent, répondit Monsieur Trounadisse, qui se mit à lancer une fanfare de mots effrayants.

D'après son discours, la misère semblait être une horrible poule noire, à l'œil furieux, au bec 85 crochu, aux ailes aussi larges que le monde et qui

couvait sans cesse d'affreux poussins. Monsieur Trounadisse les connaissait tous par leur nom : il y avait le poussin-vol, grand détrousseur[1] de porte-monnaie et perceur de coffres-forts ; le poussin-
90 ivrognerie, qui se faisait offrir des apéritifs et roulait dans les ruisseaux ; le poussin-vice, toujours prêt aux choses malhonnêtes ; le poussin-crime, armé d'un couteau ou d'un revolver ; le poussin-révolu-tion, sûrement le pire de la couvée... Il était évident
95 que tous ces poussins-là devaient finir en prison.

— Tistou ! Vous ne m'écoutez pas, s'écria Monsieur Trounadisse. D'abord cessez de poser vos mains sur ces saletés ! Qu'est-ce que c'est que cette manie de toucher à tout ? Mettez donc vos gants.

100 — Je les ai oubliés, dit Tistou.

— Reprenons notre leçon. Que faut-il pour lutter contre la misère et ses funestes[2] conséquences ?... Réfléchissez un peu... Il faut... de l'o... de l'o... de l'or...

— Ah ! oui, fit Tistou, il faut peut-être de l'or.

105 — Non, il faut de *l'ordre* !

Tistou resta silencieux un instant. Il ne paraissait pas convaincu. Et lorsqu'il eut fini de réfléchir, il dit :

— Votre ordre, Monsieur Trounadisse, êtes-vous bien sûr qu'il existe ? Moi, je ne crois pas.

---

1. **Détrousseur :** voleur.
2. **Funestes :** mauvaises.

110 Les oreilles de Monsieur Trounadisse devinrent si rouges, si rouges, qu'elles ne ressemblaient plus à des oreilles mais à des tomates.

— Parce que si l'ordre existait, reprit Tistou avec une grande fermeté dans la voix, il n'y aurait pas 115 de misère.

La note que reçut Tistou ce jour-là ne fut pas excellente. Monsieur Trounadisse écrivit dans le carnet : *Enfant distrait et raisonneur. Ses sentiments généreux lui ôtent le sens des réalités.*

120 Mais le lendemain... Vous avez déjà deviné. Le lendemain, les journaux de Mirepoil annonçaient une véritable inondation de volubilis. Les conseils de Moustache avaient été suivis à la lettre.

Des arceaux couleur de ciel voilaient la laideur 125 des cabanes, des barrières de géraniums bordaient les chemins de gazon. Ces quartiers déshérités[1], dont on évitait de s'approcher parce qu'ils faisaient horreur à regarder, devinrent les plus beaux de la ville. On alla les visiter comme un musée.

130 Les habitants décidèrent d'en tirer quelques profits. Ils mirent un tourniquet et firent payer l'entrée. Des métiers se créèrent ; il fallut des gardiens, des guides, des vendeurs de cartes postales, des photographes.

---

1. **Déshérités :** désavantagés.

135   Ce fut la fortune.

Pour employer cette fortune, on décida de bâtir, au milieu des arbres, un grand immeuble de neuf cent quatre-vingt-dix-neuf beaux appartements, avec cuisines électriques, où tous les anciens locataires

140 des taudis pourraient se loger à l'aise. Et comme il fallait beaucoup de monde pour le construire, tous les sans-travail reçurent du travail.

Moustache ne manqua pas à la première occasion de féliciter Tistou.

145   — Ah ! te voilà ! Très fort, très bien, la transformation des taudis. Mais ton quartier manque un peu de parfum. La prochaine fois, pense au jasmin. Ça grimpe vite et ça sent bon.

Tistou promit de faire mieux la prochaine fois.

Chapitre 11

Où Tistou
décide d'aider
le docteur Mauxdivers

C'est en visitant l'hôpital que Tistou fit la connaissance de la petite fille malade.

L'hôpital de Mirepoil, grâce à la générosité de Monsieur Père, était un très bel hôpital, très grand, 5 très propre et pourvu de tout ce qu'il fallait pour soigner les maladies. De larges fenêtres laissaient entrer le soleil ; les murs étaient blancs et brillants. Tistou ne trouva pas que l'hôpital était laid, pas du tout. Et pourtant il sentit... comment expliquer 10 cela ?... il sentit qu'il s'y cachait quelque chose de triste.

Le docteur Mauxdivers, qui dirigeait l'hôpital, était un homme très savant et très bon, cela se voyait au premier regard. Tistou trouva qu'il ressemblait 15 un peu au jardinier Moustache, un Moustache qui n'aurait pas eu de moustaches et qui aurait porté de grosses lunettes d'écaille. Tistou le lui dit.

— Cette ressemblance vient sans doute, répondit le docteur Mauxdivers, de ce que Moustache et moi nous nous occupons l'un et l'autre de soigner la vie. Moustache soigne la vie des fleurs et moi je soigne la vie des gens.

Mais soigner la vie des gens était beaucoup plus difficile ; Tistou le comprit vite en écoutant le docteur Mauxdivers. Être médecin, c'était livrer sans cesse une bataille. D'un côté il y avait la maladie, toujours prête à entrer dans le corps des gens, et de l'autre la bonne santé, toujours prête à s'en aller. En plus il y avait mille sortes de maladies et une seule bonne santé. La maladie se mettait toute espèce de masques pour qu'on ne la reconnaisse pas ; un vrai Mardi gras. Il fallait la déceler[1], la décourager, la chasser et en même temps attirer la bonne santé, la tenir serrée, l'empêcher de s'enfuir.

— Tu as déjà été malade, Tistou ? demanda le docteur Mauxdivers.

— Non, jamais.

— Vraiment ?

Et en effet le docteur se rappela qu'on ne l'avait jamais appelé pour Tistou. Madame Mère avait souvent des migraines ; Monsieur Père souffrait quelquefois de l'estomac. Le valet Carolus l'autre

---

1. **Déceler :** trouver, découvrir.

hiver avait eu une bronchite. Tistou, rien. Voilà un enfant qui depuis sa naissance n'avait pas connu la
45 moindre varicelle, la moindre angine, le moindre rhume ! Un cas très rare de bonne santé, un cas exceptionnel.

— Je vous remercie beaucoup de me donner cette leçon, docteur, elle m'intéresse bien, dit Tistou.

50 Le docteur Mauxdivers montra à Tistou la salle où l'on préparait les petites pilules roses contre la toux, la pommade jaune contre les boutons, les poudres blanches contre la fièvre. Il lui montra la salle où l'on peut regarder à travers le corps de
55 quelqu'un, comme à travers une fenêtre, pour voir où la maladie se cache, et aussi la salle, avec des miroirs au plafond, où l'on guérit l'appendicite et tant de choses qui menacent la vie.

« Puisque ici l'on empêche le mal de passer, tout
60 devrait sembler gai et heureux, se disait Tistou. Où se cache donc cette tristesse que je sens ?... »

Le docteur ouvrit la porte de la chambre qu'occupait la petite fille malade.

— Je te laisse, Tistou, tu viendras me retrou-
65 ver tout à l'heure dans mon bureau, dit le docteur Mauxdivers.

Tistou entra.

— Bonjour, dit-il à la petite fille malade.

Elle lui parut très jolie, mais bien pâle. Ses che-
70 veux se déroulaient, noirs, sur l'oreiller. Elle avait
à peu près le même âge que Tistou.

— Bonjour, répondit-elle poliment, sans bouger
la tête.

Elle regardait fixement le plafond.

75 Tistou s'assit auprès du lit, son chapeau blanc
sur les genoux.

— Le docteur Mauxdivers m'a dit que tes jambes
ne marchaient pas. Vont-elles mieux depuis que
tu es ici ?

80 — Non, répondit la petite fille toujours aussi
poliment ; mais cela n'a pas d'importance.

— Pourquoi ? demanda Tistou.

— Parce que je n'ai nulle part où aller.

— Moi, j'ai un jardin, dit Tistou pour dire quelque
85 chose.

— Tu as de la chance. Si j'avais un jardin, peut-être
aurais-je envie de guérir pour aller m'y promener.

Tistou aussitôt regarda ses pouces. « S'il n'y a que
cela pour lui faire plaisir... »

90 Il demanda encore :

— Tu ne t'ennuies pas trop ?

— Pas trop. Je regarde le plafond. Je compte les
petites fentes qu'il y a dedans.

« Des fleurs, ce serait mieux », pensa Tistou. Et il
95 se mit à appeler intérieurement : « Coquelicots, coquelicots !... Boutons d'or, pâquerettes, jonquilles ! »

Les graines entrèrent sans doute par la fenêtre,
à moins que Tistou ne les ait apportées sous ses
chaussures.

100 — Tu n'es pas malheureuse, au moins ?

— Pour savoir si on est malheureux, répondit
la petite fille, il faut avoir été heureux. Moi je suis
née malade.

Tistou comprit que la tristesse de l'hôpital se
105 cachait dans cette chambre, dans la tête de cette
petite fille. Il en devenait tout triste lui-même.

— Tu reçois des visites ?

— Beaucoup. Le matin, avant le petit déjeuner,
je vois la sœur-thermomètre. Et puis le docteur
110 Mauxdivers vient ; il est très gentil, il me parle
très doucement et il me donne un berlingot[1]. À
l'heure du déjeuner, c'est le tour de la sœur-pilules ;
puis, avec mon goûter, je vois entrer la sœur-aux-
piqûres-qui-font-mal. Et après vient un monsieur
115 en blanc qui prétend que mes jambes vont mieux.
Il les attache avec des ficelles pour les faire bouger. Tous, ils disent que je vais guérir. Mais moi je

---

1. **Berlingot :** bonbon qui a la forme d'une petite pyramide.

regarde le plafond ; lui, au moins, il ne me raconte pas de mensonges.

120 Tandis qu'elle parlait, Tistou s'était levé et s'affairait autour du lit.

« Pour que cette petite fille guérisse, il faut qu'elle ait envie de voir un lendemain, c'est clair, songeait-il. Une fleur, avec sa manière de se déplier, de ménager 125 des surprises, pourrait sûrement l'aider. Une fleur qui pousse, c'est une vraie devinette, qui recommence tous les matins. Un jour elle entrouvre un bouton, le jour d'après elle défroisse une feuille verte comme une petite grenouille, et puis après 130 elle déroule un pétale... À attendre chaque jour la surprise, cette petite fille oubliera peut-être sa maladie...

Les pouces de Tistou ne chômaient pas.

— Moi, je crois que tu vas guérir, dit-il.

135 — Toi aussi tu le crois ?

— Oui, oui, je t'assure. Au revoir.

— Au revoir, répondit la petite fille malade. Tu as bien de la chance d'avoir un jardin.

Le docteur Mauxdivers attendait Tistou derrière 140 son grand bureau nickelé[1], encombré de gros livres.

— Alors, Tistou demanda-t-il, qu'as-tu appris aujourd'hui ? Que sais-tu de la médecine ?

---

1. **Nickelé** : qui brille.

88

— J'ai appris, répondit Tistou, que la médecine ne peut pas grand-chose contre un cœur triste. J'ai appris que pour guérir il faut avoir envie de vivre. Docteur, est-ce qu'il n'y a pas de pilules pour donner de l'espoir ?

Le docteur Mauxdivers fut étonné de trouver tant de sagesse chez un si petit garçon.

— Tu as appris tout seul, dit-il, la première chose que doit savoir un médecin.

— Et la seconde, docteur ?

— C'est que pour bien soigner les hommes, il faut les aimer beaucoup.

Il donna toute une poignée de berlingots à Tistou et mit une bonne note sur son carnet.

Mais le docteur Mauxdivers fut encore bien plus étonné le lendemain, lorsqu'il entra dans la chambre de la petite fille.

Celle-ci souriait ; elle s'était réveillée en plein champ.

Des narcisses poussaient autour de la table de nuit ; la couverture était devenue un édredon de pervenches ; de la folle avoine moussait sur la carpette. Et puis la fleur, la fleur à laquelle Tistou avait donné tous ses soins, une rose merveilleuse, qui ne cessait de se transformer, d'épanouir une feuille ou un bourgeon, la fleur montait à la tête du lit, le

long de l'oreiller. La petite fille ne regardait plus le
170 plafond ; elle contemplait la fleur.

Le soir même, ses jambes commencèrent à re-
muer. La vie lui plaisait.

Chapitre 12

Où le nom
de Mirepoil s'allonge

Vous pensez peut-être que les grandes personnes commençaient à se douter de quelque chose, et qu'elles faisaient ce raisonnement simple : « C'est toujours dans les lieux où Tistou est passé la veille que les fleurs mystérieuses apparaissent. Donc ce doit être Tistou ; surveillons-le. »

Mais vous pensez ainsi parce que vous savez que Tistou avait les pouces verts. Les grandes personnes, je vous l'ai déjà dit, ont des idées toutes faites et n'imaginent presque jamais qu'il puisse exister autre chose que ce qu'elles savent déjà.

De temps en temps survient un monsieur qui révèle un morceau d'inconnu ; on commence toujours par lui rire au nez ; quelquefois même on le jette en prison parce qu'il dérange l'ordre de Monsieur Trounadisse, et puis, quand on s'est aperçu, après qu'il est mort, qu'il avait raison, on lui élève une statue. C'est ce qu'on appelle un génie.

Il n'y avait à Mirepoil, cette année-là, aucun génie
20 pour expliquer l'inexplicable. Et le conseil municipal
se trouvait dans le plus grand désarroi[1].

Le conseil municipal, c'est un peu comme la
femme de ménage d'une ville. À lui de veiller à la
propreté des trottoirs, à lui de désigner l'endroit où
25 peuvent jouer les enfants, celui où les mendiants
doivent mendier, et de savoir où il faut ranger le
soir les autobus. Pas de désordre, surtout pas de
désordre.

Mais le désordre s'installait à Mirepoil. Il n'était
30 plus possible de prévoir, d'un jour sur l'autre, où
se trouverait un square ou un jardin. Les fleurs
envahissaient tous les monuments publics. Si un
conseil municipal s'inclinait devant de telles fan-
taisies, une ville cesserait d'être une ville.

35 — Non, non, et non ! criaient les conseillers municipaux de Mirepoil réunis en séance
extraordinaire[2].

On parlait déjà de faire arracher toutes les fleurs.

Monsieur Père intervint. Monsieur Père était très
40 écouté au conseil. Il se montra, une nouvelle fois,
un homme aux décisions rapides et énergiques.

---

1. **Désarroi :** trouble.
2. **Séance extraordinaire :** séance qui a lieu à l'occasion d'un événement exceptionnel.

— Messieurs, dit-il, vous avez tort de vous fâcher. D'ailleurs, il est toujours dangereux de se fâcher contre ce que l'on ne comprend pas. Personne de
45 nous ne connaît la raison de ces brusques floraisons. Arracher les fleurs ? Vous ignorez demain où elles repousseront. D'autre part, il faut reconnaître que ces floraisons nous sont plus utiles qu'elles ne nous gênent. Aucun prisonnier ne s'échappe plus. Le
50 quartier des taudis est devenu prospère[1]. Tous les enfants de l'hôpital guérissent. Pourquoi s'irriter ? Mettons les fleurs dans notre jeu, et faisons en sorte d'aller au-devant des événements au lieu de rester à leur remorque.

55 — Oui, oui, et oui ! s'écrièrent les conseillers. Mais comment nous y prendre ?

Monsieur Père poursuivit son discours.

— Je vous propose une solution hardie[2]. Il faut modifier le nom de notre ville, et l'appeler désor-
60 mais Mirepoil-les-Fleurs. Avec un nom pareil, qui pourrait s'étonner de ce que les fleurs y poussent partout ? Et si demain le clocher de l'église se trans- forme en bouquet de lilas, nous aurons l'air d'avoir prévu depuis longtemps cet embellissement dans
65 notre plan de grands travaux.

---

1. **Prospère :** riche.
2. **Hardie :** audacieuse.

— Hourra, hourra, hourra ! hurlèrent les conseillers en saluant Monsieur Père d'applaudissements unanimes.

Ainsi le lendemain, car il fallait faire vite, les conseillers municipaux au grand complet, précédés de l'orphéon[1], des orphelins conduits par deux prêtres en costume des dimanches, d'une délégation[2] de grands-pères qui représentaient la sagesse, du docteur Mauxdivers qui représentait la science, d'un juge qui représentait la loi, de deux professeurs au collège qui représentaient la littérature et d'un permissionnaire en uniforme qui représentait l'armée, s'organisèrent en imposant cortège. Ils allèrent jusqu'à la gare. Là, sous les acclamations d'une foule en liesse[3], ils inaugurèrent la nouvelle pancarte, où l'on pouvait lire en lettres d'or :

MIREPOIL-LES-FLEURS

Ce fut un grand jour.

---

1. **Orphéon :** instrument ancien muni d'un clavier.
2. **Délégation :** groupe de délégués, de représentants.
3. **En liesse :** qui montre publiquement sa joie.

Chapitre 13

Où l'on cherche
à distraire Tistou

Madame Mère se faisait encore plus de souci que les conseillers municipaux, mais pour d'autres raisons. Son Tistou n'était plus le même.

Le système d'éducation imaginé par Monsieur Père le rendait étrangement sérieux ; il restait silencieux des heures entières.

— À quoi penses-tu donc, Tistou ? lui demanda un jour Madame Mère.

Tistou répondit :

— Je pense que le monde pourrait être tellement mieux qu'il n'est.

Madame Mère prit une figure fâchée.

— Ce ne sont pas des idées de ton âge, Tistou. Va donc jouer avec Gymnastique.

— Gymnastique pense comme moi, dit Tistou.

Cette fois, Madame Mère se fâcha.

— C'est un comble ! s'écria-t-elle. Voilà que les enfants prennent l'avis des poneys, maintenant !

Et elle en parla à Monsieur Père, qui considéra
20 que Tistou avait besoin de distractions.

— Le poney, le poney, c'est très bien, mais il ne
faut pas qu'il voie toujours les mêmes animaux.
Envoyons-le visiter le zoo.

Mais là encore Tistou eut une mauvaise surprise.
25 Il s'était imaginé le zoo comme un lieu féerique
où les animaux s'offraient de leur plein gré[1] à
l'admiration des visiteurs, une sorte de paradis
des bêtes où le boa faisait sa culture physique[2]
autour de la jambe de la girafe, où le kangourou
30 mettait un petit ours dans sa poche pour l'emmener
en promenade... Il pensait que jaguars, buffles,
rhinocéros, tapirs, oiseaux-lyres, perroquets et
sapajous s'ébattaient[3] parmi toute espèce d'arbres
et de plantes merveilleuses, tels qu'ils sont peints
35 sur les livres d'images.

Au lieu de cela, il ne vit au zoo que des cages où
des lions pelés[4] dormaient tristement devant des
écuelles vides, où les tigres étaient enfermés avec
les tigres, et les singes avec les singes. Il essaya de
40 réconforter une panthère qui tournait en rond

_____

1. **De leur plein gré :** volontairement.
2. **Culture physique :** sport.
3. **S'ébattaient :** allaient de-ci, de-là.
4. **Pelés :** qui ont perdu leurs poils.

derrière ses barreaux et voulut lui offrir une brioche. Un jardinier l'en empêcha.

— Interdit, jeune homme, restez en arrière. Ce sont des animaux féroces, cria le gardien fort en
45 colère.

— D'où viennent-ils ? demanda Tistou.

— De très loin. D'Afrique, d'Asie, je ne sais d'où !

— On leur a demandé leur permission avant de les amener ici ?

50 Le gardien haussa les épaules, et s'éloigna, en grommelant qu'on se moquait de lui.

Mais Tistou, lui, réfléchissait. Il se disait d'abord que le gardien n'aurait pas dû faire ce métier-là, puisqu'il n'aimait pas les animaux qu'il soignait. Il
55 pensait aussi que les animaux avaient dû transporter dans leur pelage quelques graines de leur pays, et les répandre autour d'eux...

Aucun gardien de zoo ne songe à empêcher un petit garçon de poser ses pouces par terre, devant
60 chaque cage. Les gardiens croient simplement que ce petit garçon-là aime se traîner dans la poussière.

C'est pourquoi, quelques jours plus tard, un immense baobab s'élevait dans la cage aux lions, les singes s'élançaient de liane en liane, des nénuphars
65 s'éployaient[1] dans la baignoire du crocodile. L'ours

---

1. **S'éployaient :** s'épanouissaient.

avait son sapin, le kangourou sa savane ; les hérons
et les flamants roses marchaient parmi les roseaux
et les oiseaux de toutes couleurs chantaient parmi
les buissons de jasmin géant. Le zoo de Mirepoil

70 était devenu le plus beau du monde, et les conseillers municipaux se hâtèrent d'en avertir les agences
de tourisme.

— Alors, maintenant tu travailles même dans
la végétation tropicale ? Très fort, mon garçon, tu

75 es décidément très fort, dit Moustache à Tistou la
première fois qu'il le vit.

— C'est tout ce que j'ai pu faire pour ces pauvres
animaux féroces, qui s'ennuyaient si fort loin de
chez eux, répondit Tistou.

Chapitre 14

Où Tistou,
à propos de la guerre,
se pose
de nouvelles questions

Quand les grandes personnes parlent à voix haute, il arrive que les petits garçons ne les écoutent pas.

— Tu m'entends, Tistou ?

Et Tistou de répondre « oui, oui », avec la tête,
5 pour paraître obéissant, alors qu'il n'a fait aucune attention.

Mais dès que les grandes personnes commencent à baisser la voix et à se confier des secrets, les petits garçons aussitôt tendent l'oreille et cherchent à
10 comprendre justement ce qu'on ne voulait pas leur dire.

En cela ils sont tous les mêmes, et Tistou ne faisait pas exception.

Depuis quelques jours, on chuchotait beaucoup
15 à Mirepoil. Il y avait du secret dans l'air, et jusque dans les tapis de la Maison-qui-brille.

Monsieur Père, Madame Mère poussaient de longs soupirs en lisant les journaux. Le valet Carolus et Madame Amélie, la cuisinière, mur-
20 muraient autour de la machine à laver. Et même Monsieur Trounadisse semblait avoir perdu sa voix de trompette.

Tistou saisissait au vol des mots qui avaient mauvaise mine.

25 — Tension..., disait Monsieur Père d'un ton grave.

— Crise..., répondait Madame Mère.

— Aggravation, aggravation..., ajoutait Monsieur Trounadisse.

Tistou crut qu'on parlait d'une maladie ; il se fit
30 beaucoup de souci et partit, les pouces en avant, pour découvrir qui était malade dans la maison.

Un tour de jardin lui prouva qu'il se trompait ; Moustache se portait à merveille, les pur-sang groseille gambadaient dans la prairie, Gymnastique
35 présentait les signes de la meilleure santé.

Mais le lendemain un autre mot était sur toutes les lèvres.

— Guerre... c'était inévitable, disait Monsieur Père.

40 — Guerre... les pauvres gens ! faisait Madame Mère en balançant la tête d'un air désolé.

— Guerre... et voilà ! une de plus, remarqua Monsieur Trounadisse. Reste à savoir qui va la gagner.

45 — Guerre... Quelle pitié ! Ça ne finira donc jamais ! gémissait Madame Amélie, prête à pleurer.

— Guirre... guirre... toujours li guirre, répétait le valet Carolus qui avait... oui vous le savez, un léger accent étranger.

50 L'idée que Tistou se fit de la guerre fut celle d'une chose pas propre puisqu'on n'en parlait qu'à voix basse, une chose laide, une maladie des grandes personnes pire que l'ivrognerie, plus cruelle que la misère, plus dangereuse que le crime. Déjà Monsieur
55 Trounadisse lui avait un peu parlé de la guerre, en lui montrant le monument aux morts de Mirepoil. Mais comme Monsieur Trounadisse avait parlé trop fort, Tistou n'avait pas très bien compris.

Tistou n'avait pas peur. Ce garçon-là était le
60 contraire d'un poltron[1] ; on pouvait même le juger imprudent. Vous avez déjà vu comme il se laissait glisser le long de la rampe. Lorsqu'on allait se baigner à la rivière, il fallait l'empêcher de se jeter dix fois de suite du haut du plongeoir des
65 champions. Il prenait son élan, et, hop ! le voilà en l'air, les bras écartés, faisant le saut de l'ange.

_____
1. **Poltron** : peureux.

Il grimpait aux arbres comme personne, jusque sur les dernières branches, pour aller cueillir les cerises que nulle autre main ne pouvait atteindre. Il ignorait le vertige. Non, vraiment, Tistou n'était pas peureux.

Mais l'idée qu'il se faisait de la guerre n'avait rien à voir avec le courage ou la peur ; c'était une idée insupportable, voilà tout.

Il voulut se renseigner. La guerre était-elle une chose aussi horrible qu'il se l'imaginait ? Naturellement, il alla d'abord consulter Moustache.

— Je ne vous dérange pas, Monsieur Moustache ? demanda-t-il au jardinier qui taillait les buis.

Moustache posa sa cisaille.

— Du tout, du tout, mon garçon.

— Monsieur Moustache, la guerre, qu'est-ce que vous en pensez ?

Le jardinier parut surpris.

— Je suis contre, répondit-il en se tirant les moustaches.

— Pourquoi êtes-vous contre ?

— Parce que... parce qu'une petite guerre de rien du tout peut anéantir un très grand jardin.

— Anéantir ? Qu'est-ce que cela veut dire ?

— Cela veut dire détruire, supprimer, réduire en poussière.

— Vraiment ? Et vous en avez vu, vous, Monsieur Moustache, des jardins... anéantis par la guerre ?
95 dit Tistou.

Cela lui paraissait à peine croyable. Mais le jardinier ne plaisantait pas.

Il avait la tête baissée, fronçait ses gros sourcils blancs et tordait sa moustache entre les doigts.

100 — Oui, oui, j'ai vu ça, répondit-il. J'ai vu mourir en deux minutes un jardin plein de fleurs. J'ai vu les serres sauter en mille morceaux. Et tant de bombes tomber dans ce jardin qu'il a fallu renoncer pour toujours à le cultiver. Même la terre était morte.

105 Tistou avait la gorge serrée.

— Et à qui était-il, ce jardin ? demanda-t-il encore.

— À moi, répliqua Moustache qui se détourna pour cacher son chagrin et reprit sa cisaille.

Tistou resta un instant silencieux. Il réfléchissait.
110 Il tâchait de se représenter le jardin, autour de lui, détruit comme l'avait été le jardin de Moustache, les serres brisées et la terre interdite aux fleurs. Les larmes lui vinrent aux yeux.

— Eh bien, je vais aller le dire ! s'écria-t-il. Il faut
115 que tout le monde le sache. Je vais aller le dire à Amélie, je vais aller le dire au valet Carolus...

— Oh ! Carolus est encore plus à plaindre que moi. Lui, il a perdu son pays.

— Son pays ? Il a perdu son pays à la guerre ?
120 Comment est-ce possible ?

— C'est pourtant ainsi. Son pays a complètement disparu. Il ne l'a jamais retrouvé. C'est pour cela qu'il est ici.

« J'avais bien raison de penser que la guerre était
125 une chose horrible, puisqu'on peut y perdre son pays comme on perd un mouchoir », se disait Tistou.

— Je pourrais t'en conter encore long, sur la guerre, ajouta Moustache. Tu parlais d'Amélie la cuisinière ? Eh bien, Amélie, elle, a perdu son fils.
130 D'autres perdent un bras, une jambe, ou bien ils perdent la tête. Dans une guerre, tout le monde perd quelque chose.

Tistou estima que la guerre était le plus grand, le plus vilain désordre qui se puisse voir au monde,
135 puisque chacun y perdait ce à quoi il tenait le plus.

« Que pourrait-on faire pour l'empêcher de passer ?... se demandait-il. Monsieur Trounadisse est sûrement contre la guerre, puisqu'il déteste si fort le désordre. Dès demain, je lui en parlerai. »

Chapitre 15

Où Tistou prend une leçon de géographie suivie d'une leçon d'usine, et où le conflit entre les Vazys et les Vatens s'étend de manière imprévue

Monsieur Trounadisse était assis derrière son bureau. Il avait retrouvé sa voix de trompette et criait dans trois téléphones à la fois. Monsieur Trounadisse, cela se voyait, était très occupé.

5 — C'est toujours ainsi, lorsqu'une guerre éclate quelque part dans le monde, dit-il à Tistou. À Mirepoil nous avons le double de travail.

En effet, le matin, Tistou l'avait remarqué, la sirène de l'usine avait sonné deux fois plus long-
10 temps et les ouvriers étaient venus deux fois plus nombreux. Les neuf cheminées rejetaient tant de fumée que le ciel en était obscurci.

— Alors, je reviendrai quand vous aurez moins à faire, dit Tistou.

15 — Que voulais-tu me demander ?

— Je voulais savoir où cette guerre a éclaté.

Monsieur Trounadisse se leva, amena Tistou devant une mappemonde qu'il fit tourner, et posa son doigt au milieu.

20 — Tu vois ce désert ? dit-il. Eh bien, c'est là.

Tistou vit, sous le doigt de Monsieur Trounadisse, une tache rose qui ressemblait à une dragée.

— Pourquoi la guerre s'est-elle mise là, Monsieur Trounadisse ?

25 — C'est très facile à comprendre.

Quand Monsieur Trounadisse affirmait que quelque chose était facile à comprendre, Tistou se méfiait ; généralement c'était très compliqué. Mais cette fois Tistou était décidé à bien écouter.

30 — Très facile, répéta Monsieur Trounadisse. Ce désert n'appartient à personne...

« À personne », se répéta intérieurement Tistou.

— ... Mais à droite se trouve la nation des Vazys, et à gauche la nation des Vatens.

35 « Va-z-y... Va-t'en... », se répéta encore Tistou ; il était vraiment bien attentif.

— ... Or voici quelque temps les Vazys ont annoncé qu'ils voulaient ce désert ; les Vatens ont répondu qu'ils le voulaient aussi. Les Vazys
40 se sont installés sur leur bord, les Vatens sur le leur. Les Vazys ont envoyé un télégramme aux

Vatens pour leur dire de s'en aller. Les Vatens
ont répliqué par radio qu'ils interdisaient aux
Vazys de rester. Maintenant leurs armées sont
45 en marche et, quand elles se rencontreront, elles
vont se battre.

— Qu'y a-t-il donc dans cette dragée rose... je
veux dire dans ce désert ? Des jardins ? demanda
Tistou.

50 — Mais non, puisque c'est un désert ! Il n'y a rien
du tout. Il y a des pierres...

— Alors ces gens vont se battre pour des cailloux ?

— Ils veulent posséder ce qui est en dessous.

— Sous le désert ? Qu'est-ce qu'il y a ?

55 — Du pétrole.

— Pourquoi le veulent-ils, ce pétrole ?

— Ils le veulent pour que les autres ne l'aient
pas. Ils veulent ce pétrole parce que le pétrole est
indispensable pour faire la guerre.

60 Tistou savait bien que les explications de Monsieur
Trounadisse finiraient par être très difficiles !

Il ferma les yeux pour mieux réfléchir.

« Si je comprends bien, les Vazys et les Vatens
vont se faire la guerre à cause du pétrole parce que
65 le pétrole est indispensable à la guerre. » Il rouvrit
les yeux.

— Eh bien, c'est idiot, déclara-t-il.

Les oreilles de Monsieur Trounadisse devinrent écarlates.

70 — Tistou, est-ce que vous voulez un zéro ?

— Non, répondit Tistou, mais je voudrais surtout que les Vazys et les Vatens ne se battent pas.

Cette preuve de bon cœur apaisa provisoirement la colère de Monsieur Trounadisse.

75 — Bien sûr, bien sûr, dit-il en haussant les épaules, personne ne voudrait qu'il y ait la guerre, jamais. Mais cela a toujours existé...

« Que pourrais-je bien faire ?... pensait Tistou. Mettre mes pouces sur la tache rose ?... »

80 — Est-ce loin ce désert ? demanda-t-il.

— À moitié chemin entre ici et l'autre côté de la terre.

— Alors la guerre ne peut pas arriver jusqu'à Mirepoil ?

85 — Ce n'est pas impossible. On sait où une guerre commence, on ne sait jamais où elle s'arrête. Les Vazys peuvent appeler à leur secours une grande nation, les Vatens demander l'aide d'une autre. Et les deux grandes nations se battront. C'est ce 90 qu'on appelle une extension de conflit.

La tête de Tistou tournait comme un moteur.

« Oui, en somme, la guerre est une espèce d'affreux chiendent[1] qui pousse sur la mappemonde... Par quelles plantes pourrait-on la combattre ? »

95 — Maintenant, tu vas m'accompagner à l'usine, dit Monsieur Trounadisse. Tu la verras en plein rendement[2] ; ce sera une bonne leçon.

Il cria quelques ordres dans ses trois téléphones, et descendit en compagnie de Tistou.

100 Celui-ci fut d'abord assourdi par le bruit. Les marteaux-pilons[3] frappaient à toute force, les machines ronflaient comme des millions de toupies. Il fallait crier pour se faire entendre, même quand on avait la voix de Monsieur Trounadisse.

105 Tistou fut également aveuglé par les gerbes d'étincelles qui jaillissaient de partout ; l'acier fondu coulait par terre, en gros ruisseaux brûlants ; il faisait une chaleur étouffante, et les hommes dans cette usine immense paraissaient tout petits et tout noirs.

110 Après l'atelier de fonderie[4], Tistou visita les ateliers de polissage[5], de tournage[6], de montage[7],

---

1. **Chiendent :** mauvaise herbe dont les longues racines peuvent abîmer les cultures.
2. **En plein rendement :** au moment où l'usine produit le plus.
3. **Marteaux-pilons :** appareils servant à écraser.
4. **Fonderie :** action de fondre les métaux.
5. **Polissage :** action de rendre les métaux lisses et brillants.
6. **Tournage :** action de donner une forme à un objet.
7. **Montage :** action d'assembler différents éléments d'un objet.

les ateliers de fusils, de mitrailleuses, de chars, de camions, car l'usine de Monsieur Père fabriquait tout ce qui servait à la guerre, armes et munitions.

115 Le lendemain était jour de livraison et l'on empaquetait le matériel avec autant de précaution que si l'on avait emballé de la porcelaine.

Enfin Monsieur Trounadisse montra à Tistou deux grands canons, longs comme des tours de 120 cathédrale, et tout luisants, à croire qu'on les avait entièrement beurrés.

Suspendus à des chaînes, les canons passaient lentement en l'air ; puis ils furent déposés, doucement, doucement, sur des remorques de camions, 125 des remorques dont on ne voyait pas le bout.

— Ce sont ces canons-là, Tistou, qui ont fait la richesse de Mirepoil, cria Monsieur Trounadisse. Ils peuvent démolir, à chaque obus tiré, quatre maisons grandes comme la tienne.

130 Cette nouvelle ne parut pas inspirer à Tistou la même fierté.

« Alors, pensa-t-il, à chaque coup de canon, quatre Tistou sans maison, quatre Carolus sans escalier, quatre Amélie sans cuisine... C'est donc 135 avec ces machines-là qu'on perd son jardin, son pays, sa jambe ou quelqu'un de sa famille... Eh bien, vrai ! »

Et toujours les marteaux tapaient, les forges chauffaient.

140 — Pour qui êtes-vous, Monsieur Trounadisse ? demanda Tistou en forçant la voix à cause du vacarme qui les entourait.

— Quoi donc ?

— Je dis : pour qui êtes-vous dans cette guerre ?

145 — Pour les Vazys, cria Monsieur Trounadisse.

— Et mon père ?

— Aussi.

— Pourquoi ?

— Parce que ce sont depuis longtemps nos fidèles
150 amis.

« Évidemment, se dit Tistou, si on a des amis qui sont attaqués, il est juste de les aider à se défendre. »

— Alors ces canons-là s'en vont chez les Vazys ?
155 reprit-il.

— Celui de droite seulement, cria Monsieur Trounadisse. L'autre est pour les Vatens.

— Comment, pour les Vatens ? s'écria Tistou, indigné.

160 — Parce qu'ils sont aussi de bons clients.

Ainsi un canon de Mirepoil allait tirer contre un autre canon de Mirepoil, et démolir un jardin d'un côté comme de l'autre !

— C'est cela le commerce, ajouta Monsieur
165 Trounadisse.

— Eh bien, je le trouve affreux, votre commerce !

— Quoi donc ! demanda Monsieur Trounadisse
en se baissant, parce que les marteaux-pilons couvraient la voix de Tistou.

170 — Je dis que votre commerce est affreux, parce
que...

Une énorme gifle l'arrêta net. Le conflit entre les
Vazys et les Vatens venait de s'étendre soudainement jusqu'à la joue de Tistou.

175 « Voilà ce que c'est la guerre ! On demande une
explication, on donne son avis, et pan ! on reçoit
une gifle. Et si je te faisais pousser du houx dans ta
culotte, qu'est-ce que tu en dirais ! pensait Tistou,
les yeux pleins de larmes en regardant Monsieur
180 Trounadisse. Parfaitement, du houx dans ses pan-
talons, ou bien des chardons... »

Il serrait les pouces... et ce fut ainsi que l'idée, sa
grande idée lui vint.

La leçon d'usine, vous le pensez bien, se ter-
185 mina là. Tistou reçut un double zéro, et Monsieur
Trounadisse avertit immédiatement Monsieur Père.
Celui-ci fut extrêmement chagriné. Son Tistou, qui
devait un jour lui succéder et devenir le maître de

Mirepoil, montrait vraiment peu de dispositions
190 pour diriger une si belle entreprise.

— Il faut que je lui parle très sérieusement, dit
Monsieur Père. Où est-il ?

— Il est parti se réfugier chez le jardinier, comme
d'habitude, répondit Monsieur Trounadisse.

195 — Bon, nous verrons cela plus tard. Pour l'instant,
finissons les emballages.

En raison de l'urgence des livraisons, l'usine tournait sans arrêt. Toute la nuit les neuf cheminées
étaient couronnées de grandes lueurs rouges.

200 Or ce soir-là, Monsieur Père, qui n'avait pas pris
le temps de dîner et qui surveillait le travail de ses
ateliers du haut d'une petite tour vitrée, eut une
bonne surprise. Son Tistou était revenu à l'usine et
passait lentement le long des caisses de fusils, grim-
205 pait dans les camions, se penchait sur les moteurs,
se faufilait entre les grands canons.

« Brave Tistou, se dit Monsieur Père. Voilà un
garçon qui cherche à rattraper son double zéro.
Allons ! Tout espoir n'est pas perdu. »

210 Tistou, en vérité, n'avait jamais paru si sérieux ni
si affairé ! Ses cheveux se tenaient tout droits sur
la tête. À chaque instant, il tirait de petits bouts de
papier de sa poche.

« On dirait même qu'il prend des notes, remar-
215 qua Monsieur Père. Pourvu qu'il ne se pince pas, à
mettre ainsi les doigts dans les mitrailleuses. Allons,
c'est un bon petit, qui reconnaît vite ses erreurs. »
Monsieur Père allait avoir d'autres surprises.

Chapitre 16

Où se succèdent
les nouvelles stupéfiantes

Personne n'ignore que les journaux ne parlent des guerres qu'en lettres majuscules. Ces lettres sont rangées dans une armoire spéciale. Et c'est précisément devant cette armoire aux majuscules qu'hésitait le directeur de *L'Éclair de Mirepoil*, quotidien bien connu.

Le directeur tournait en rond, soupirait, s'épongeait le front, ce qui est toujours signe d'émotion et de perplexité[1]. Cet homme-là était très ennuyé.

Tantôt il se saisissait d'une grande majuscule, de celles que l'on réserve pour les grandes victoires ; mais il la reposait immédiatement. Tantôt il choisissait une des majuscules moyennes qui servent aux guerres qui ne marchent pas très bien, aux campagnes[2] qui n'en finissent pas, aux retraites[3]

---

1. **Perplexité :** hésitation, embarras.
2. **Campagne :** opération militaire.
3. **Retraite :** abandon du champ de bataille par une armée qui ne parvient pas à s'y maintenir.

imprévues. Mais cette majuscule ne convenait pas davantage ; elle retournait dans l'armoire.

Un instant il parut se décider pour les toutes petites capitales, avec lesquelles on annonce les nouvelles qui mettent tout le monde de mauvaise humeur, comme : « La route du sucre est coupée » ou bien : « Nouvel impôt sur les confitures ». Mais ces lettres-là non plus ne faisaient pas l'affaire. Et le directeur de *L'Éclair* soupirait de plus en plus fort. Vraiment, c'était un homme bien ennuyé.

Il devait annoncer aux habitants de Mirepoil, ses fidèles lecteurs, une nouvelle tellement inattendue, et si grave de conséquences, qu'il ne savait comment s'y prendre. La guerre entre les Vazys et les Vatens avait échoué. Allez donc faire admettre au public qu'une guerre puisse s'arrêter net, sans vainqueur, sans vaincu, sans conférence internationale, sans rien !

Ah ! le pauvre directeur eût aimé pouvoir imprimer, sur toute la largeur de sa première page, un titre à sensation tel que : *Fulgurante avance des Vazys* ou *Irrésistible attaque des armées Vatens*.

Il ne pouvait en être question. Les reporters envoyés sur la tache rose étaient formels : la guerre

40 n'avait pas eu lieu, et son échec mettait en cause
la qualité des armes livrées par la Manufacture de
Mirepoil ainsi que les compétences techniques
de Monsieur Père, de ses ateliers, de tout son
personnel.

45 En somme, c'était d'un désastre qu'il s'agissait !

Essayons, avec le directeur de *L'Éclair*, de recons-
tituer le déroulement des tragiques événements.

Des plantes grimpantes, rampantes, collantes,
avaient pris racine dans les caisses d'armes.
50 Comment s'étaient-elles fourrées là ? Pourquoi ?
Personne ne pouvait l'expliquer.

Le lierre, la vigne blanche, le liseron, l'ampélopsis
des murailles, la renouée des oiseaux et la cuscute
d'Europe formaient autour des mitrailleuses, des
55 mitraillettes, des revolvers, un inextricable écheveau[1], qu'aggravait encore la glu répandue par la
jusquiame noire.

Ces caisses, les Vazys comme les Vatens avaient
dû renoncer à les déballer.

60 Les reporters, dans leurs dépêches, insistaient
sur l'action particulièrement nocive[2] de la grande
bardane, plante dont les petites baies rouges sont
munies de crochets. La grande bardane s'était

---

1. **Écheveau :** assemblage de fils repliés et noués ensemble.
2. **Nocive :** dangereuse.

agrippée aux baïonnettes. Que faire de fusils qui
65 fleurissaient, de baïonnettes qui ne piquaient plus,
et auxquels de jolis bouquets ôtaient toute effica-
cité ? Il fallut les jeter aux poubelles.

Inutilisables également, les magnifiques camions,
si consciencieusement zébrés de gris et de jaune !
70 La ronce piquante, le gratteron et plusieurs variétés
d'orties, dont la brûlante, poussaient en abondance
sur les sièges provoquant une urticaire[1] immédiate
chez les chauffeurs. Ces derniers furent les seules
victimes de la guerre. Les infirmières en voile blanc
75 condamnèrent à l'immobilité et aux compresses
tièdes ces soldats que de cruelles démangeaisons
empêchaient de s'asseoir.

Ici se place le piteux incident causé par l'impatiente-n'y-touchez-pas[2]. Qu'une modeste fleur
80 des champs puisse déclencher une panique parmi
des combattants s'explique si l'on sait que l'impatiente-n'y-touchez-pas est pourvue de capsules qui
éclatent au moindre contact.

Les moteurs en étaient pleins. L'impatiente foi-
85 sonnait dans le carburateur des automitrailleuses,
dans le réservoir des motocyclettes. Au premier

---

1. **Urticaire :** irritation de la peau, accompagnée de démangeaisons.
2. **L'impatiente-n'y-touchez-pas :** les fruits de cette fleur s'ouvrent
brusquement quand on les touche et projettent leurs graines.

tour de démarreur, au premier coup de pédale se produisirent, se répandirent, se généralisèrent des explosions sourdes qui ne firent aucun mal mais
90 ébranlèrent[1] fortement le moral des troupes.

Passons aux chars. Leurs tourelles[2] étaient bloquées. Des buissons d'églantines, auxquels se mêlaient la grande cracca et la benoîte des ruisseaux, lançaient racines, grappes, pédoncules[3] et rameaux
95 épineux autour des mécanismes. Les chars étaient donc, eux aussi, inutilisables.

Pas un appareil que la mystérieuse invasion eût épargné ! Des plantes apparaissaient partout, des plantes tenaces[4], agissantes et comme douées d'une
100 volonté personnelle.

Dans les masques à gaz se développait l'achillée sternutatoire[5]. Le reporter de *L'Éclair* affirmait que si l'on s'approchait à moins d'un mètre de ces masques, on se mettait à éternuer plus de cinquante
105 fois.

Des herbes malodorantes s'étaient logées à l'intérieur des porte-voix. Les officiers avaient dû renoncer

---

1. **Ébranlèrent :** affaiblirent.
2. **Tourelle :** abri blindé, situé en haut du char et pouvant tourner sur lui-même.
3. **Pédoncule :** tige de la fleur.
4. **Tenaces :** fermes, acharnées.
5. **Sternutatoire :** qui provoque l'éternuement.

à l'usage de ces cornets où croissaient l'ail des ours et la camomille puante.

110 Muettes, paralysées, inoffensives, les deux armées étaient arrêtées, face à face.

Les mauvaises nouvelles vont vite. Monsieur Père était déjà au courant, et dans l'état de désespoir que l'on pense. Ses armes fleurissaient comme des 115 acacias au printemps.

Il se tenait constamment en liaison avec le directeur de *L'Éclair*, qui lui lisait au téléphone les navrantes dépêches... Il restait un espoir, les canons, les fameux canons de Mirepoil.

120 — Une action peut encore s'engager entre deux armées immobilisées, à condition qu'elles soient pourvues de bons canons, disait Monsieur Père.

On attendit jusqu'au soir. Une dernière dépêche chassa toutes les illusions.

125 Les canons de Mirepoil avaient tiré, certes ; ils avaient tiré des fleurs.

Une pluie de digitales, de campanules et de bleuets s'était abattue sur les positions des Vazys qui avaient riposté, inondant les Vatens de renoncules, 130 de marguerites et de stellaires. Un général avait eu sa casquette enlevée par un bouquet de violettes !

On ne prend pas un pays avec des roses, et les batailles de fleurs n'ont jamais passé pour choses sérieuses.

135   Entre les Vazys et les Vatens, la paix fut conclue sur l'heure. Les deux armées se retirèrent et le désert couleur de dragée rose fut rendu à son ciel, à sa solitude et à sa liberté.

Chapitre 17

Où Tistou,
courageusement,
se dénonce

Il y a des silences qui réveillent. Tistou, ce matin-là, sauta de son lit parce que la grosse sirène ne sonna pas. Il alla à la fenêtre.

La fabrique de Mirepoil était arrêtée ; les neuf
5   cheminées ne fumaient plus.

Tistou courut au jardin. Assis dans sa brouette, Moustache lisait le journal, ce qui lui arrivait rarement.

— Ah ! te voilà, toi ! s'écria-t-il. Pour du travail bien fait, on peut dire que c'est du travail bien fait.
10 Je n'aurais jamais cru que tu arriverais à un si beau résultat !

Moustache rayonnait, exultait[1]. Il embrassa Tistou, c'est-à-dire qu'il lui enveloppa la tête de ses moustaches.

15 Puis, avec cette légère mélancolie des hommes qui ont fini leur tâche, il ajouta :

---

1. **Exultait :** montrait une immense joie.

— Je n'ai plus rien à t'apprendre. Tu en sais maintenant aussi long que moi, et tu vas bien plus vite.

Venant d'un maître tel que Moustache, le com-
20 pliment réchauffa le cœur de Tistou.

Du côté des écuries, Tistou rencontra Gymnastique.

— C'est merveilleux, lui glissa Tistou dans sa douce oreille beige. Avec des fleurs, j'ai arrêté une guerre.

Le poney n'en parut pas autrement surpris.

25 — À propos, répondit-il, une botte de trèfle blanc me ferait assez plaisir. C'est ce que je préfère pour mon petit déjeuner, et j'en trouve de moins en moins sur la prairie. Tâche d'y penser, à l'occasion.

Ces mots plongèrent Tistou dans la stupéfaction.
30 Non pas parce que le poney parlait... cela, il s'en était aperçu depuis longtemps... mais parce que le poney savait qu'il avait les pouces verts.

« Heureusement que Gymnastique ne parle jamais à personne d'autre qu'à moi », se dit Tistou.

35 Et il remonta, pensif, vers la maison. Ce poney-là, décidément, en connaissait long.

Dans la Maison-qui-brille, les choses n'allaient pas comme à l'accoutumée. D'abord, c'est un fait, les vitres brillaient moins. Amélie ne chantait pas
40 devant ses fourneaux : *Ninon, Ninon, qu'as-tu fait de ta vie...* qui était sa chanson préférée. Le valet Carolus ne faisait pas reluire la rampe.

Madame Mère avait quitté sa chambre dès huit heures, comme lorsqu'elle partait en voyage. Elle
45 prenait son café au lait dans la salle à manger, ou plutôt son café au lait était devant elle, et elle n'y touchait pas. Elle vit à peine Tistou traverser la pièce.

Monsieur Père n'était pas allé au bureau. Il se trouvait dans le grand salon, en compagnie de
50 Monsieur Trounadisse, et tous deux marchaient à grands pas, de manière désordonnée, si bien que, de temps en temps, ils se cognaient et à d'autres moments se tournaient le dos. Leur conversation faisait un bruit d'orage.

55 — Ruine ! Déshonneur ! Fermeture ! Chômage ! criait Monsieur Père.

Et Monsieur Trounadisse répondait, comme l'écho du tonnerre roulant dans les nuages :

— Conspiration[1]... Sabotage[2]... Attentat pacifiste[3]...
60 — Ah ! mes canons, mes beaux canons, reprenait Monsieur Père.

Tistou, sur le seuil de la porte entrouverte, n'osait pas les interrompre.

---

1. **Conspiration :** accord secret entre plusieurs personnes contre quelqu'un ou quelque chose.
2. **Sabotage :** fait de détruire clandestinement du matériel pour que l'on ne puisse plus s'en servir.
3. **Pacifiste :** pour la paix.

« Voilà comme elles sont, ces grandes personnes,
se disait-il. Monsieur Trounadisse m'affirmait que
tout le monde était contre la guerre, mais que c'était
un mal inévitable, qu'on ne pouvait rien y faire.
J'arrive à empêcher une guerre ; ils devraient être
contents ; non, ils se fâchent. »

Monsieur Père, heurtant au passage l'épaule de
Monsieur Trounadisse, s'écriait, hors de lui :

— Ah ! si je tenais le misérable qui est allé semer
des fleurs dans mes canons !

— Ah ! oui, si je le tenais, moi aussi ! répondait
Monsieur Trounadisse.

— Mais peut-être n'y a-t-il aucun responsable...
Effet des puissances supérieures...

— Il faut faite une enquête... Haute trahison.

Tistou, vous le savez, était un garçon courageux.
Il ouvrit la porte, alla jusque sous le grand lustre
de cristal, au centre du tapis à guirlandes, et face
au portrait de Monsieur Grand-Père. Il prit son
souffle :

— C'est moi qui ai semé les fleurs dans les canons,
dit-il.

Et puis il ferma les yeux, attendant la gifle. La
gifle n'étant pas arrivée, il rouvrit les paupières.

Monsieur Père s'était arrêté dans un coin du
salon, et Monsieur Trounadisse à l'autre bout. Ils

90 regardaient Tistou, mais n'avaient pas l'air de le
voir. À se demander même s'ils avaient entendu
et compris.

« Ils ne me croient pas », pensa Tistou qui, pour
confirmer son aveu, énuméra ses prouesses comme
95 on donne la solution d'une charade.

— Les volubilis dans la zone, c'est moi ! La prison,
c'est moi ! Et l'édredon de pervenches pour la petite
fille malade, c'est moi ! Et le baobab dans la cage
aux lions, c'est encore moi !

100 Monsieur Père et Monsieur Trounadisse conti-
nuaient à jouer les statues. Les paroles de Tistou,
manifestement, ne leur pénétraient pas dans la
tête. Ils avaient tout juste la figure de gens qui vont
vous dire dans une seconde : « Cesse donc de ra-
105 conter des bêtises et laisse les grandes personnes
tranquilles. »

« Ils pensent que je me vante, se dit Tistou. Il
faut que je leur prouve la vérité. »

Il s'approcha du portrait de Monsieur Grand-
110 Père. Sur le canon qui servait d'accoudoir au vénéré
fondateur de la Manufacture de Mirepoil, Tistou
posa les deux pouces et les tint appuyés pendant
quelques secondes.

La toile eut un léger frisson et l'on vit sortir de
115 la bouche du canon un brin de muguet qui poussa

d'abord une feuille, puis l'autre, puis ses clochettes blanches.

— Et voilà ! dit Tistou. J'ai les pouces verts.

Il s'attendait à ce que Monsieur Trounadisse
120 devînt cramoisi[1], et Monsieur Père tout blanc. Ce fut le contraire qui arriva.

Monsieur Père s'écroula dans un fauteuil, le visage pourpre[2], tandis que Monsieur Trounadisse, pâle comme une pomme de terre, se laissait tomber
125 sur le tapis.

Tistou reconnut à ce double signe que de faire pousser des fleurs à l'intérieur des canons dérangeait gravement la vie des grandes personnes.

Et il sortit du salon, la joue intacte, ce qui prouve
130 que le courage est toujours récompensé.

_____

1. **Cramoisi :** rouge foncé, presque violet.
2. **Pourpre :** rouge foncé.

Chapitre 18

Où quelques grandes personnes finissent par renoncer à leurs idées toutes faites

Monsieur Père, ainsi que vous avez pu le constater au cours de ce récit, était un homme de décision rapide. Il lui fallut néanmoins une grande semaine pour réfléchir à la situation et y faire face.

5   Entouré de ses meilleurs ingénieurs, il tint plusieurs conseils de direction, auxquels participa Monsieur Trounadisse. Il s'enferma dans son bureau, seul, et y passa de longues heures la tête entre les mains. Il prit des notes ; il les déchira.

10   En somme la situation se résumait ainsi : Tistou avait les pouces verts, il se servait de ses pouces verts et, en se servant de ses pouces verts, il avait arrêté l'usine de Mirepoil.

   Car, bien entendu, les ministres de la Guerre 15 et les généraux en chef qui se fournissaient habituellement à Mirepoil avaient aussitôt annulé leurs commandes et retiré leur clientèle.

— Autant s'adresser à un fleuriste ! disaient-ils.

Il y avait une solution, évidemment, qui vint
20 à l'esprit de quelques personnes sans imagination : enfermer Tistou dans la prison, parce qu'il
dérangeait l'ordre, faire savoir dans la presse que
le perturbateur avait été mis hors d'état de nuire,
remplacer aux acheteurs les canons feuillus par
25 des armes du modèle courant, et envoyer une circulaire[1] à tous les généraux en les informant que
la manufacture reprenait sa fabrication comme
par le passé.

Mais Monsieur Trounadisse... oui, Monsieur
30 Trounadisse lui-même, s'opposa à cette solution.

— On ne se relève pas facilement d'un coup pareil,
dit-il sans crier. La suspicion[2] pour longtemps va
peser sur nos produits. Et puis enfermer Tistou dans
la prison, cela ne servirait à rien. Il fera pousser des
35 chênes dont les racines démoliront les murs, et il
s'échappera. On ne peut pas s'opposer aux forces
de la nature.

Monsieur Trounadisse avait beaucoup changé !
Ses oreilles, depuis le jour de sa chute dans le salon,
40 s'étaient éclaircies ; sa voix s'était calmée. Et puis...
pourquoi ne pas le dire ? Monsieur Trounadisse

---

1. **Circulaire :** lettre envoyée à plusieurs personnes.
2. **Suspicion :** méfiance.

souffrait d'imaginer Tistou en costume de bagnard[1],
tournant en rond dans une prison, même une prison fleurie. La prison fait partie des choses qu'on
45 envisage très tranquillement pour les gens qu'on ne
connaît pas. Mais dès qu'il s'agit d'un petit garçon
qu'on aime, c'est tout différent.

En dépit des remontrances[2], des zéros, de la gifle,
Monsieur Trounadisse, dès qu'on parla de prison,
50 découvrit qu'il aimait beaucoup Tistou, qu'il s'était
attaché à lui, et qu'il supporterait mal d'être privé
de le voir. Ainsi sont quelquefois les gens qui crient
très fort.

D'ailleurs Monsieur Père se fût de toute manière
55 opposé à l'emprisonnement de Tistou. Monsieur
Père était bon, je vous l'ai déjà dit. Il était bon et il
était marchand de canons. À première vue, cela ne
paraît pas compatible. Il adorait son fils et fabriquait
des armes pour rendre orphelins les enfants des
60 autres. Cela se voit plus souvent qu'on ne croit.

— Nous étions parvenus à deux réussites, dit-il
à Madame Mère. Nous fabriquions les meilleurs
canons et nous avions fait de Tistou un enfant
heureux. Il semble que les deux choses ne puissent
65 plus aller ensemble.

---

1. **Bagnard :** criminel condamné aux travaux forcés dans un bagne.
2. **Remontrances :** reproches.

Madame Mère était douce, belle et gentille. Une personne exquise. Elle écoutait toujours avec beaucoup d'intérêt, et même d'admiration, les paroles de son mari. Depuis la malheureuse affaire de la guerre
70 des Vazys, elle se sentait un peu coupable, vaguement, sans savoir de quoi. Une mère se croit toujours un peu coupable quand son enfant dérange la vie des grandes personnes et risque d'avoir des ennuis.

— Que faire, mon ami, que faire ? répondit-elle.
75 — Ce qui me préoccupe, c'est autant le sort de Tistou que celui de l'usine, reprit Monsieur Père. Nous nous étions fait une idée de l'avenir de cet enfant ; nous pensions qu'il allait me succéder comme j'ai succédé à mon père. Il avait son chemin
80 tout tracé, la fortune, la considération[1]...

— C'était une idée toute faite, dit Madame Mère.
— Eh ! oui. Une idée toute faite, et bien commode. Maintenant, il faut nous en faire une autre. Ce petit n'a pas de goût pour l'armurerie, c'est visible.
85 — Sa vocation paraît le porter vers l'horticulture[2].

Monsieur Père se souvint des mots résignés de Monsieur Trounadisse : « On ne peut rien contre les forces de la nature... »

---

1. **Considération :** estime, respect.
2. **Horticulture :** culture des légumes et des fleurs.

« Certes, on ne peut rien contre ces forces, pensait
90 Monsieur Père, mais on peut se servir d'elles. »

Il se redressa, fit trois pas dans la pièce, se retourna, tira sur les pointes de son gilet.

— Ma chère épouse, dit-il, voilà ma décision.

— Je suis sûre qu'elle est parfaite, dit Madame
95 Mère, les yeux rosis par les larmes, car le visage de
Monsieur Père en cette minute-là avait vraiment
quelque chose d'héroïque, d'émouvant, et ses cheveux brillaient plus que jamais.

— Nous allons, déclara-t-il, transformer l'usine
100 de canons en usine à fleurs.

Les grands hommes d'affaires ont le secret de ces
revirements soudains, de ces brusques redresse-
ments devant l'adversité[1].

On se mit immédiatement au travail. Le succès
105 fut foudroyant.

La bataille à coups de violettes et de renoncules
avait fait couler beaucoup d'encre à travers le monde.
L'opinion était préparée. Tous les événements précé-
dents, les mystérieuses floraisons, et jusqu'au nom
110 même de la ville, Mirepoil-les-Fleurs, tout concourut
au développement de la nouvelle entreprise.

---

1. **Adversité :** malheur.

Monsieur Trounadisse, à qui l'on confia la publicité, fit tendre en travers des routes d'alentour d'immenses banderoles où l'on pouvait lire

115
Plantez les fleurs
qui grandissent en une seule nuit

Ou bien :

Les fleurs de Mirepoil
poussent même sur l'acier

120 Mais son meilleur slogan fut sans doute :

Dites non à la guerre,
mais dites-le avec des fleurs

Les clients affluèrent[1], et la Maison-qui-brille retrouva sa prospérité.

---

1. **Affluèrent :** vinrent très nombreux.

Chapitre 19

Où Tistou fait
une dernière découverte

Les histoires ne s'arrêtent jamais où l'on croit. Vous pensiez peut-être que tout était dit ; vous pensiez sans doute connaître bien Tistou. Sachez que l'on ne connaît jamais personne complètement.
5 Nos meilleurs amis nous réservent toujours des surprises.

Certes, Tistou ne faisait plus mystère de ses pouces verts. Au contraire, on en parlait beaucoup et Tistou était devenu un enfant célèbre, non
10 seulement à Mirepoil mais dans le monde entier.

L'usine marchait à merveille. Les neuf cheminées étaient couvertes jusqu'au sommet de verdure et de fleurs éclatantes. Les ateliers embaumaient les parfums les plus rares.

15 On fabriquait des tapis de fleurs pour décorer les appartements et des tentures de fleurs pour remplacer aux murs la cretonne et le papier peint. Les jardins étaient expédiés par wagons entiers. Monsieur Père avait même reçu une commande

20 de cache gratte-ciel, parce que les gens qui vivaient dans ces maisons-là étaient souvent, disait-on, pris d'une sorte de fièvre qui les poussait à se jeter par la fenêtre du cent trentième étage.

À vivre si loin de la terre, forcément, ils ne de-
25 vaient pas se sentir à leur aise, et l'on pensait que des fleurs leur feraient passer ce vertige.

Moustache était devenu grand-conseiller des cultures. Tistou ne cessait de perfectionner son art. Maintenant, il inventait des fleurs. Il était par-
30 venu à créer la rose bleue dont chaque pétale était comme un morceau de ciel, et il avait mis au point deux nouvelles variétés de soleils : le soleil levant couleur d'aurore et le soleil couchant d'un beau pourpre cuivré.

35 Lorsqu'il avait fini, il allait jouer dans le jardin avec la petite fille guérie. Gymnastique ne mangeait plus que du trèfle blanc.

— Alors, tu es content, maintenant ? dit un jour le poney Gymnastique à Tistou.

40 — Oh ! oui, très content, répondit Tistou.

— Tu ne t'ennuies pas ?

— Pas du tout.

— Tu n'as pas envie de nous quitter ? Tu vas rester avec nous ?

45 — Mais bien sûr ! Pourquoi cette drôle de question ?

— Une idée...

— Qu'est-ce que tu veux dire ? Elle n'est donc pas finie mon histoire ? demanda Tistou.

50 — On verra... on verra..., dit le poney en se remettant à brouter son trèfle.

À quelques matins de là, une nouvelle circula dans la Maison-qui-brille, dont chacun parut fort attristé. Le jardinier Moustache ne s'était pas 55 réveillé.

— Moustache a décidé de se reposer pour toujours, expliqua Madame Mère à Tistou.

— Je peux aller le voir dormir ?

— Non, non. Tu ne peux plus le voir. Il est parti 60 pour un long, long voyage dont il ne reviendra jamais.

Tistou ne comprenait pas très bien. « On ne voyage pas les yeux fermés, pensa-t-il. S'il dort, il aurait pu me dire bonsoir. Et s'il est parti, il aurait 65 pu me dire au revoir. Ce n'est pas clair, tout cela ; on me cache quelque chose. »

Il alla interroger la cuisinière Amélie.

— Ce pauvre Moustache est au ciel ; il est plus heureux que nous à présent, dit Amélie.

70 « S'il est heureux, pourquoi dire qu'il est pauvre, et s'il est pauvre comment peut-il être heureux ? » se demanda Tistou.

Carolus avait encore une autre opinion. D'après lui, Moustache était sous terre, au cimetière.

75 Tout ceci était plein de contradictions[1].

Sous terre ou au ciel ? Il fallait s'entendre. Le jardinier ne pouvait pas être partout à la fois.

Tistou alla trouver Gymnastique.

— Je sais, dit le poney ; Moustache est mort.

80 Gymnastique disait toujours la vérité ; c'était un de ses principes.

— Mort ? s'écria Tistou. Mais il n'y a pas eu de guerre ?

— Il n'y a pas besoin de guerre pour mourir, 85 répondit le poney. La guerre, c'est de la mort en supplément... Moustache est mort parce qu'il était très vieux. Toute vie se termine de cette manière-là.

Tistou eut l'impression que le soleil perdait sa lumière, que la prairie devenait toute noire et que 90 l'air avait mauvais goût à respirer. Ce sont là des signes d'un malaise que les grandes personnes croient être seules à éprouver, mais que les petites personnes de l'âge de Tistou connaissent, elles aussi, et qui se nomme le chagrin.

---

1. **Contradiction** : opposition entre deux paroles.

95 Tistou entoura de ses bras le cou du poney et pleura un long moment dans sa crinière.

— Pleure, Tistou, pleure, disait Gymnastique. C'est nécessaire. Les grandes personnes s'empêchent de pleurer ; elles ont tort, parce que leurs
100 larmes se gèlent à l'intérieur et c'est ce qui leur fait le cœur si dur.

Mais Tistou était un étrange enfant qui refusait de se plier devant le malheur tant qu'il n'était pas allé y mettre les pouces.

105 Il sécha ses larmes et fit un peu d'ordre dans ses idées.

« Au ciel ou sous terre ? » se répéta-t-il.

Il décida de se rendre au plus près. Le lendemain, après le déjeuner, il sortit du jardin et courut
110 jusqu'au cimetière qui était à flanc de colline. Un joli cimetière, plein d'arbres et pas triste du tout.

« On dirait des flammes de nuit qui brûlent pendant le jour », pensa-t-il en voyant les beaux cyprès[1] noirs.

115 Il aperçut un jardinier, de dos, qui ratissait une allée. Il eut un instant le fol espoir… Mais le jardinier se retourna. C'était un simple jardinier de cimetière, sans ressemblance avec celui que Tistou cherchait.

---

1. **Cyprès :** arbre droit et élancé.

120 — Pardon, monsieur, savez-vous où est Monsieur Moustache ?

— Troisième allée à droite, répondit le jardinier sans s'arrêter de ratisser.

« C'est donc bien ici... » pensa Tistou.

125 Il suivit la direction indiquée, avança entre les tombes et s'arrêta devant la dernière, une tombe toute neuve. Sur la dalle de pierre, on pouvait lire cette inscription, composée par l'instituteur :

> *Ci-gît maître Moustache*
> 130 *Jardinier sans tache.*
> *Il fut l'ami des fleurs ;*
> *Passants, versez un pleur.*

Et Tistou se mit au travail. « Moustache ne résistera pas à une belle pivoine. Il aura envie de lui 135 parler », songeait Tistou. Il enfonça son pouce droit en terre, attendit quelques instants. La pivoine sortit du sol, monta, s'épanouit, inclina la tête, lourde comme un chou, vers l'inscription. Mais la dalle ne bougea pas.

140 « Les parfums, peut-être... Il avait le nez très fin sous ses grosses moustaches », pensa Tistou. Et il fit surgir jacinthes, œillets, lilas, mimosas et tubéreuses. La tombe en fut entourée en quelques

minutes, comme d'un bosquet. Mais elle resta une
145 tombe.

« Et une fleur qu'il n'aurait pas connue, se dit encore Tistou. Même si l'on est très fatigué, la curiosité, ça réveille. »

Mais la mort se moque des énigmes. Les énigmes,
150 c'est elle qui les pose.

Pendant une heure, Tistou déploya la plus vive imagination pour fabriquer une végétation jamais vue. Il inventa ainsi la fleur-papillon, à deux pistils[1] en forme d'antennes et deux pétales éployés[2] qui
155 frémissaient au moindre souffle d'air. Ce fut sans résultat.

Lorsqu'il partit, les mains noires, la tête basse, il laissait derrière lui la plus étonnante tombe qu'on ait jamais vue dans un cimetière ; mais Moustache
160 n'avait pas répondu.

Tistou traversa la prairie, s'approcha de Gymnastique.

— Tu sais, Gymnastique...

— Oui, je sais, répondit le poney. Tu as découvert
165 que la mort est le seul mal que les fleurs n'empêchent pas de passer.

Et comme le poney était un moraliste, il ajouta :

---

1. **Pistil :** partie de la fleur qui reçoit le pollen.
2. **Éployés :** ouverts, épanouis.

— C'est pourquoi les hommes sont bien sots de chercher à se nuire les uns aux autres, comme ils le font tout le temps.

Tistou, le nez en l'air, regardait les nuages et réfléchissait.

Chapitre 20

Où l'on apprend
enfin qui était Tistou

Elle l'occupait depuis plusieurs jours ; elle requérait[1] tous ses soins ; il ne pensait plus qu'à elle. À quoi donc ? À l'échelle.

— Tistou construit une échelle ; cela va lui chan-
5 ger les idées, disait-on à Mirepoil.

On n'en savait pas davantage. Une échelle pour poser où ? Pour quel usage ? Pourquoi une échelle plutôt qu'une tour ou qu'un pavillon fleuri ?

Tistou demeura évasif[2].

10 — J'ai envie de faire une échelle, voilà tout.

Il avait choisi l'emplacement, bien au centre de la prairie.

Une échelle, ordinairement, c'est l'affaire d'un me-nuisier. Mais Tistou ne se servait pas de bois coupé.

15 Il avait commencé par planter ses pouces en terre, profondément, et aussi éloignés l'un de l'autre qu'il le pouvait en écartant les bras.

---

1. **Requérait :** demandait, réclamait.
2. **Évasif :** qui reste vague, qui ne répond pas clairement.

— Il faut que les racines de cette échelle soient solides, expliqua-t-il au poney qui suivait avec inté-
20 rêt les travaux.

Deux arbres s'élevèrent, deux beaux arbres aux rameaux serrés, à la taille élancée. En moins d'une semaine, ils mesuraient trente mètres. Chaque matin, Tistou, fidèle aux enseignements de Moustache,
25 leur adressait un petit discours. Cette méthode donna les meilleurs résultats.

Les deux arbres étaient d'essence rare[1] ; le tronc tenait, par élégance, du peuplier d'Italie, mais avec la dureté de l'if et du buis. La feuille était dentelée
30 comme celle du chêne, et les fruits poussaient verticalement, en petits cônes, comme les pommes du sapin.

Mais lorsque les arbres eurent dépassé soixante mètres, les feuilles dentelées laissèrent la place à
35 des aiguilles bleutées, puis apparurent des bourgeons feutrés qui firent dire à Carolus que les arbres étaient d'une espèce qu'on connaissait bien dans son pays, et qu'on appelait le sorbier des oiseleurs.

— Ça, du sorbier ? s'écria la cuisinière Amélie.
40 N'avez-vous pas vu qu'il y pousse maintenant des grappes blanches et parfumées ? Ce sont des aca-

---

1. **D'essence rare :** d'une espèce peu courante.

cias, je vous le dis, et je m'y connais, parce qu'avec la fleur on fait des beignets.

Mais Amélie, pas plus que Carolus, n'avait raison
45 ni tort. Chacun, dans ces arbres-là, voyait l'espèce qu'il aimait le plus. C'étaient des arbres sans nom.

Ils eurent bientôt plus de cent mètres et, les jours de brume, on n'en apercevait plus le sommet.

Mais, diriez-vous, deux arbres, même très hauts,
50 n'ont jamais suffi à faire une échelle.

Ce fut alors qu'apparut la glycine, une glycine de variété singulière, d'ailleurs, et assez fortement croisée de houblon. Elle offrait en outre cette particularité de pousser parfaitement à l'horizontale,
55 entre les deux arbres. Elle prenait solidement appui sur l'un des troncs, s'élançait, attrapait l'autre tronc, s'enroulait trois fois autour, faisait un nœud avec sa propre tige, montait un peu plus haut, repartait en sens inverse. Ainsi se construisirent les barreaux
60 de l'échelle.

L'admirable fut quand cette glycine, d'un seul coup, se mit à fleurir. Une cataracte[1] mauve semblait couler du ciel.

— Si vraiment Moustache est là-haut, comme on
65 s'obstine à me le dire, confia Tistou à Gymnastique,

---

1. **Cataracte** : très grande chute d'eau.

il profitera certainement de cette échelle pour descendre, ne serait-ce qu'un petit moment.

Le poney ne répondit pas.

— Je suis trop malheureux de ne pas le voir... et
70 de ne pas savoir, dit Tistou.

L'échelle continuait à grandir. On la photographia pour les journaux en couleurs, qui écrivirent à son propos : *L'échelle de fleurs de Mirepoil est la huitième merveille du monde.*

75 Si l'on avait demandé aux lecteurs quelles étaient les sept premières, ils auraient été bien embarrassés dans leur réponse. Posez donc la question à vos parents, pour voir !

Mais tout ceci ne fit pas descendre Moustache.

80 « J'attends encore trois matins, décida Tistou, et ensuite je saurai ce qu'il me reste à faire. »

Le troisième matin arriva.

La lune se couchait, le soleil n'était pas levé et les étoiles commençaient à tomber de sommeil,
85 lorsque Tistou sortit de son lit. Il ne faisait plus nuit et pas encore jour.

Tistou portait sa longue chemise blanche.

« Où sont donc mes pantoufles ? » se demanda-t-il. Il trouva l'une sous le lit et l'autre sur la commode.

90 Il se laissa glisser le long de la rampe, sortit à pas de loup et arriva jusqu'à l'échelle, au milieu de la

prairie. Gymnastique s'y trouvait aussi. Il avait le pelage triste, l'oreille couchée, la crinière emmêlée.

— Comment, tu es déjà debout ? lui demanda Tistou.

— Je ne suis pas rentré à l'écurie hier soir, répondit le poney. Je dois même t'avouer que j'ai essayé toute la nuit de ronger le pied de tes arbres mais le bois est trop dur. Mes dents n'ont rien pu faire.

— Tu as voulu couper ma belle échelle ? s'écria Tistou. Mais pourquoi cela ? Pour m'empêcher de monter ?

— Oui, fit le poney.

Des gouttes de rosée se mirent à perler dans l'herbe. Et en même temps Tistou, à la faible lumière de l'aube, vit de grosses larmes couler des yeux du poney.

— Mais voyons, Gymnastique, il ne faut pas sangloter si fort, tu vas réveiller tout le monde, dit Tistou. Pourquoi t'inquiéter ? Tu sais bien que je n'ai pas le vertige. Je ne fais que monter et descendre ; je dois être rentré avant que Carolus se lève...

Mais Gymnastique continuait à pleurer.

— Oh ! je le savais... je savais que ça devait arriver..., répétait-il.

— Je tâcherai de te rapporter une petite étoile, dit Tistou pour le consoler. Au revoir, Gymnastique.

— Adieu, fit le poney.

Il regarda Tistou s'élancer sur les barreaux de
120 glycine et suivit des yeux son escalade.

Tistou s'élevait régulièrement, léger, agile. Bientôt
sa chemise de nuit ne parut pas plus grande qu'un
mouchoir.

Gymnastique tendait le cou. Tistou diminuait,
125 diminuait, devenait à peine plus gros qu'une bille,
qu'un petit pois, qu'une tête d'épingle ; qu'un grain
de poussière. Et quand il fut invisible, Gymnastique
s'éloigna tristement et alla brouter l'herbe de la
prairie, bien qu'il n'eût aucune faim.

130 Mais Tistou, sur son échelle, voyait encore la terre.

« Tiens, se dit-il, les prairies sont bleues. »

Il s'arrêta un instant. À ces hauteurs, tout change.
La Maison-qui-brille brillait encore, mais comme
un minuscule éclat de diamant.

135 Le vent s'engouffrait sous la chemise de Tistou
et la faisait gonfler.

« Cramponnons-nous ! » Et il reprit son escalade.
Mais au lieu de se compliquer, l'ascension de Tistou
devint de plus en plus facile.

140 Le vent s'était apaisé. Tout ce qui avait été bruit
ou grondement devenait silence. Le soleil étincelait
comme un feu géant, mais sans brûler. La terre
n'était plus qu'une ombre, n'était plus rien.

Tistou ne sentit pas tout de suite qu'il n'y avait
145 plus d'échelle. Il s'en aperçut seulement lorsqu'il
constata qu'il avait perdu ses chères pantoufles et
qu'il était pieds nus. Il n'y avait plus d'échelle et
pourtant il continuait de monter, sans peine, sans
fatigue. Une grande aile blanche le frôla.

150 « Comme c'est drôle, pensa-t-il, une aile sans
oiseau ! »

Et soudain il entra dans un énorme nuage, blanchâtre, mousseux, soyeux, où l'on ne voyait plus rien.

Ce nuage rappelait à Tistou quelque chose… mais
155 oui, quelque chose d'aussi blanc, d'aussi doux ; ce
nuage lui rappelait la moustache de Moustache, en
mille, en millions de fois plus grand. Tistou était
en train d'avancer dans une moustache aussi vaste
qu'une forêt.

160 Il entendit alors une voix, une voix qui ressemblait
à celle de Moustache, mais tellement plus forte,
plus grave, plus profonde, il entendit cette voix
prononcer :

— Ah ! te voilà, toi…

165 Et il disparut à jamais dans ce monde invisible
dont même les gens qui écrivent des histoires ne
savent rien.

Mais Monsieur Père, Madame Mère, Monsieur
Trounadisse, Carolus, Amélie, et tous ceux qui

170 aimaient Tistou, allaient s'inquiéter, s'affoler, se désespérer. Gymnastique se chargea de les rassurer en leur fournissant l'explication de tant de merveilles. Ce poney-là, je vous l'ai dit, en savait long.

Donc, à peine Tistou hors de vue, Gymnastique
175 s'était mis à manger l'herbe. Pourtant il n'avait pas faim. Mais il broutait, broutait, d'une curieuse manière, comme s'il cherchait à faire un dessin. Et à mesure qu'il avançait, à la place de l'herbe ôtée par ses dents, aussitôt poussaient des boutons d'or,
180 bien drus et bien épais. Et quand il eut fini, il alla se reposer.

Lorsque les habitants de la Maison-qui-brille sortirent, ce matin-là, en appelant Tistou de tous côtés, ils virent, au milieu de la prairie, deux petites
185 pantoufles et cette phrase, écrite en belles fleurs dorées :

TISTOU ÉTAIT UN ANGE !

POUR
APPROFONDIR

Clés de lecture

Séquence 1
Chapitres 1 et 2 – La situation initiale
(pp. 21-31)

Action et personnages

1. Le véritable nom de Tistou est :
- ❑ Maurice
- ❑ Mistouflet
- ❑ François-Baptiste

2. Tistou vit :
- ❑ avec ses parents dans la Maison-qui-brille
- ❑ avec un monsieur et une dame à Versailles
- ❑ avec son papa Carolus dans un garage

3. Le cheval préféré de Tistou est :
- ❑ le Grand Noir
- ❑ le poney Gymnastique
- ❑ un cheval groseille

Genre ou thèmes

4. Relis la page 25 et décris le physique de Tistou.

5. Relève, dans les pages 27 à 30, tous les éléments qui brillent.

6. « On alignait les six chevaux groseille » (p. 29, l. 111).

- Les chevaux couleur groseille existent-ils ?

- Dès lors, l'histoire de Tistou se passe-t-elle dans un monde réel ou merveilleux ?

Langue

7. « Au milieu de beaux arbres, de belles voitures et de beaux chevaux » (p. 31, l. 138-139).

- Quel mot est répété ?

- Quelle est sa nature ?

- Pourquoi ne s'écrit-il pas toujours de la même façon ?

8. « Mes chevaux… d'argent » (p. 30, l. 118-125).

- Dans ce passage, relève les mots appartenant au champ lexical du luxe.

- Pourquoi ce champ lexical est-il présent ?

Écriture

9. Imagine qu'un problème se pose soudain à Tistou. Tu commenceras ton texte par : « Un jour… »

....

....

....

....

....

 **À retenir**

Au tout début du conte, Tistou vit dans un monde parfait où tout est beau et brillant. Ce cadre féerique montre que l'histoire se déroule dans un univers merveilleux.

Pour approfondir

Clés de lecture

Séquence 2
Chapitres 3 et 4 – Une grosse déception
(pp. 33-40)

Action et personnages

1. Monsieur Père dirige :
   - ❑ une bijouterie
   - ❑ la ville de Mirepoil
   - ❑ une usine de canons

2. À quel âge Tistou entre-t-il à l'école :
   - ❑ à trois ans
   - ❑ à six ans
   - ❑ à huit ans

3. À l'école, Tistou :
   - ❑ fait des merveilles
   - ❑ bavarde sans arrêt
   - ❑ se fait renvoyer

Genre ou thèmes

4. Dans le deuxième paragraphe du chapitre 3, quel mot tranche avec le monde parfait décrit dans les deux premiers chapitres ?

5. Combien de fois ce mot est-il répété dans ce paragraphe ? Pourquoi ?

6. Que se passe-t-il le premier jour d'école de Tistou ? Le deuxième jour ? Le troisième jour ?

Langue

7. « Un jour tu seras le maître de Mirepoil » (p. 34, l. 39).

- À quel temps est conjugué le verbe « seras » ?

- Tistou est-il libre de choisir son avenir ? Pourquoi ?

8. « Il était plein de bonne volonté » (p. 39, l. 45).

- « plein de bonne volonté » : quelle est la fonction de ce groupe de mots ? Quel mot complète-t-il ?

- Tistou fait-il exprès de mal se conduire en classe ?

Écriture

9. T'attendais-tu à ce que Tistou soit un mauvais élève ? Écris ta réponse et justifie-la en quelques lignes.

....

....

....

....

....

Pour approfondir

🔍 À retenir

Dans un conte, un problème vient toujours se poser au héros. Ainsi, Tistou vivait dans un monde parfait jusqu'au jour où l'on apprend que son père dirige une usine de canons et où il se fait renvoyer de l'école.

Clés de lecture

Séquence 3
Chapitre 6 – Le don
(pp. 47-54)

Pour approfondir

Action et personnages

1. Moustache :
   - ❑ est très bavard avec les humains
   - ❑ parle à ses fleurs
   - ❑ fait un peu peur à Tistou

2. Tistou a les pouces verts car :
   - ❑ ses ongles sont verts
   - ❑ il est capable de faire pousser des plantes
   - ❑ il a trempé ses pouces dans de la peinture verte

3. Moustache et Tistou décident :
   - ❑ de garder secret le don de Tistou
   - ❑ de révéler ce don uniquement aux parents de Tistou
   - ❑ d'organiser une fête pour célébrer l'événement

Genre ou thèmes

4. Comment Moustache réagit-il en découvrant le don de Tistou ? Pourquoi ?

5. Quelle est la réaction de Tistou ? Pourquoi ?

6. Tistou a-t-il été un bon élève lors de sa leçon de jardin ? Pourquoi ?

Clés de lecture

Langue

7. Moustache est « aimable et causant comme une pioche » (p. 49, l. 51-52).

  - Complète la phrase suivante : .... est comparé à ....

  - Que peux-tu en déduire sur le caractère du jardinier ?

8. « Soudain, ils s'immobilisèrent, ébahis, bouleversés, stupéfaits » (p. 51, l. 99-100).

  - À quel temps est conjugué le verbe « s'immobilisèrent » ?

  - Pourquoi l'auteur utilise-t-il ce temps à ce moment du récit ?

Écriture

9. Cite deux autres personnages de livres ou alors de films qui possèdent également un don. Décris ce talent et donne un exemple de situation dans laquelle ils l'utilisent.

....

....

....

....

....

Pour approfondir

À retenir

Comme beaucoup de personnages de conte, Tistou possède un don. En effet, chaque fois qu'il enfonce ses pouces dans la terre, des plantes en jaillissent : Tistou a les pouces verts.

Clés de lecture

Séquence 4
Chapitre 11 – Tistou médecin
(pp. 83-90)

Action et personnages

1. Le docteur est comparé à Moustache car :
   - ❑ tous deux ont une moustache
   - ❑ tous deux soignent la vie
   - ❑ tous deux aiment les berlingots

2. La petite fille :
   - ❑ est plus âgée que Tistou
   - ❑ a environ le même âge
   - ❑ est plus jeune

3. Qui ne raconte pas de mensonges à la petite fille ?
   - ❑ sa mère
   - ❑ le docteur
   - ❑ le plafond

Genre ou thèmes

4. La petite fille a-t-elle envie de marcher de nouveau ? Pourquoi ?
5. La petite fille a-t-elle déjà été heureuse ? Pourquoi ?
6. Qu'est-ce que Tistou a appris à l'hôpital ?
7. Pourquoi les jambes de la petite fille recommencent-elles à bouger ?

Langue

8. Quel est le pluriel du nom « mal » ? Quel est le nom du docteur et que signifie-t-il ?

9. Quels sont les noms des sœurs ? Comment appelle-t-on un nom formé de plusieurs mots unis par un tiret ?

10. « Le docteur Mauxdivers fut étonné de trouver tant de sagesse chez un si petit garçon » (p. 89, l. 148-149) : quels sont les deux groupes nominaux qui s'opposent dans cette phrase ?

Écriture et dessin

11. Écris la lettre que la petite fille envoie à sa grand-mère pour lui raconter son réveil au milieu des fleurs.

12. Dessine la rose merveilleuse créée par Tistou.

À retenir

Tout au long du conte, Tistou apprend de nouvelles leçons à l'école de la vie. À la vue de la misère ou de la maladie, il réfléchit et grandit. C'est donc un personnage qui change au fil du récit.

Pour approfondir

Clés de lecture

Séquence 5
Chapitre 15 – La guerre
(pp. 105-114)

Action et personnages

1. Les Vazys et les Vatens sont :
   - ❏ des fleurs carnivores
   - ❏ des extraterrestres en guerre
   - ❏ deux peuples ennemis

2. Monsieur Père vend des canons aux Vatens car :
   - ❏ ce sont des amis
   - ❏ ce sont de bons clients
   - ❏ ce sont eux qui ont raison dans cette guerre

3. Tistou retourne à l'usine le soir pour :
   - ❏ visiter l'usine plus en détail
   - ❏ prendre des notes sur les différentes sortes d'armes
   - ❏ utiliser son don

Genre ou thèmes

4. Pourquoi Tistou trouve-t-il que la guerre entre les Vazys et les Vatens est idiote ?

5. Lorsque Tistou visite l'usine, il éprouve des sensations liées à l'ouïe, à la vue et au toucher. Relève ces sensations. Sont-elles agréables ou désagréables ?

6. Pourquoi Monsieur Trounadisse gifle-t-il Tistou ?

Clés de lecture

Langue

7. « Le conflit entre les Vazys et les Vatens venait de s'étendre soudainement jusqu'à la joue de Tistou » (p. 112, l. 172-174) : relève le complément circonstanciel de lieu.

8. « Je voudrais surtout que les Vazys et les Vatens ne se battent pas » (p. 108, l. 71-72) : à quel mode est conjugué « voudrais » ? Pourquoi Tistou utilise-t-il ce mode ?

Écriture

9. Décris en trois phrases Monsieur Trounadisse.

....

....

....

....

....

 **À retenir**

Les idées de Tistou s'opposent souvent à celles des adultes. L'enfant fait preuve de bon sens et d'humanité dans ses raisonnements alors que les grandes personnes du livre sont prisonnières d'idées toutes faites.

Pour approfondir

Clés de lecture

Séquence 6
Chapitres 19 et 20 – La situation finale
(pp. 135-150)

Pour approfondir

Action et personnages

1. Le jardinier Moustache :
- ❑   est mort
- ❑   dort profondément
- ❑   est parti en voyage

2. Tout d'abord, pour retrouver Moustache, Tistou :
- ❑   part lui aussi en voyage
- ❑   fait des prières
- ❑   fait pousser des fleurs sur sa tombe

3. Puis, il décide :
- ❑   de fabriquer une échelle pour que Moustache puisse revenir
- ❑   d'aller au ciel
- ❑   de partir avec Gymnastique

Genre ou thèmes

4. Pourquoi Gymnastique est-il un poney extraordinaire ?

5. Relis la page 141 et complète cette phrase : Tistou apprend que la mort est le seul mal ....

6. Qu'est-ce que le nuage rappelle à Tistou ? Pourquoi ?

7. Quels sont les points communs entre Tistou et un ange ?

Clés de lecture

Langue

8. « Elle n'est donc pas finie mon histoire ? » (p. 137, l. 48-49) : de quel type de phrase s'agit-il ?

9. « Pleure, Tistou, pleure, disait Gymnastique » (p. 139, l. 97).

- À quel mode « pleure » est-il conjugué ?

- Pourquoi Gymnastique utilise-t-il ce mode ?

10. « Bientôt sa chemise de nuit ne parut pas plus grande qu'un mouchoir » (p. 148, l. 121-123) : à quoi est comparée la chemise de nuit de Tistou ? Pourquoi ?

Écriture

11. Tistou et Moustache se retrouvent au ciel. Imagine leur dialogue.

....

....

....

....

....

....

....

....

Pour approfondir

 À retenir

À la fin du conte, les problèmes **qui** s'étaient posés au héros sont résolus. Ainsi, l'usine de canons s'est transformée en usine à fleurs et Tistou est devenu un **ange**.

Genre, action, personnages

Visualiser les relations entre les personnages du récit

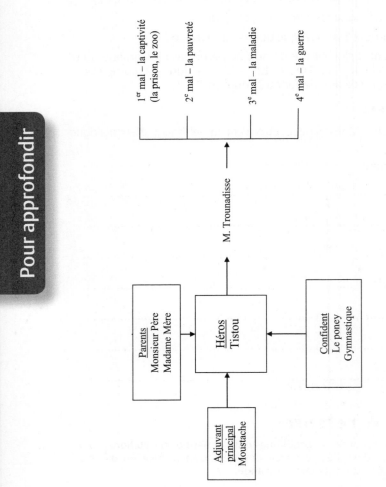

Parents
Monsieur Père
Madame Mère

Adjuvant principal
Moustache

Héros
Tistou

Confident
Le poney
Gymnastique

M. Trounadisse

1er mal – la captivité (la prison, le zoo)

2e mal – la pauvreté

3e mal – la maladie

4e mal – la guerre

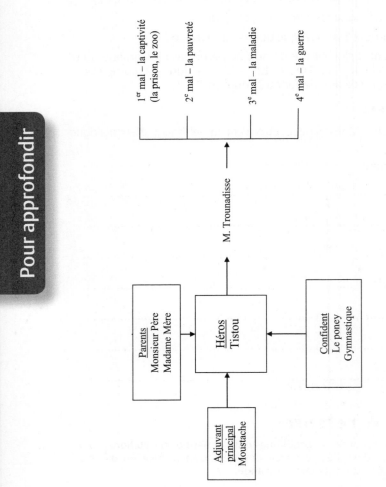

Pour approfondir

Personnages et action

Les personnages

Tistou

Âgé de huit ans, **Tistou a des cheveux** blonds et frisés, des yeux bleus et des joues roses. **Très sensible au** malheur d'autrui, il essaie constamment d'y remédier. **Son principal trait de** caractère est donc la générosité. Par ailleurs, **il fait preuve d'une** grande innocence. En effet, au début du conte, il **ignore l'existence** de la souffrance et du mal, ce qui lui permet de **porter un regard critique** sur le monde des adultes. Ces deux qualités, à **savoir la générosité et** l'innocence, l'apparentent à un ange et permettent **de comprendre sa** métamorphose finale.

Moustache

Chaque fois **que Tistou vient** voir Moustache, celui-ci l'accueille par un : « Ah ! te **voilà, toi !** » Cette rudesse exprime bien l'âme du vieux jardinier, **plus bavard avec** ses plantes qu'avec les êtres humains. Derrière **cette apparence** bourrue se cache cependant un personnage bienveillant **qui va** conseiller et encourager Tistou dans ses aventures.

Dans le dernier **chapitre, lorsque** Tistou monte au ciel, il entre dans un énorme nuage **qui lui rappelle la** moustache du jardinier. Puis il entend la voix de ce **dernier, « mais** tellement plus forte, plus grave, plus profonde » qui lui dit « ah ! te voilà, toi... ». Tout se passe comme si, dans ce monde céleste où Tistou **s'est** transformé en ange, Moustache était devenu un dieu.

Le poney Gymnastique

Ce poney doué **de parole est le** confident de Tistou. En effet, il est le seul, avec Moustache, à **connaître le** don du petit garçon. De plus, il dit toujours la vérité **et sait ce qu'il va se** passer dans le futur.

Genre, action, personnages

Père

Le directeur de l'usine de Mirepoil est grand, élégamment vêtu, sans un grain de poussière sur ses vêtements, et possède « une immense fortune ». Il pourrait être très intimidant, si l'on ne mentionnait à plusieurs reprises sa bonté. Ainsi, lorsque Tistou sabote son usine, Monsieur Père, homme « aux décisions rapides et énergiques », comprend que son fils est attiré par l'horticulture et décide de transformer sa fabrique en usine à fleurs. Il est donc capable de faire passer l'amour qu'il porte à son fils avant les intérêts de son entreprise.

Mère

Madame Mère est « douce, belle et gentille ». Personnage effacé, elle laisse son mari prendre les décisions importantes.

Monsieur Trounadisse

Avant de le voir, on l'entend. Monsieur Trounadisse se caractérise en effet par sa voix tonitruante. Il crie, a « les oreilles très rouges » et « un tempérament explosif ». Il en vient d'ailleurs à gifler Tistou. Néanmoins, le narrateur précise que l'homme de confiance de Monsieur Père n'est pas méchant. De plus, ce personnage se bonifie au cours du conte. À la fin du récit, on souligne qu'il « avait beaucoup changé » : ses oreilles se sont éclaircies et sa voix s'est calmée. Surtout, Monsieur Trounadisse découvre qu'il aime Tistou et cet attachement le rend sympathique aux yeux du lecteur.

L'action

Schéma narratif

On peut retrouver, dans *Tistou les pouces verts*, les étapes du schéma narratif qui structurent les contes traditionnels.

Situation initiale

Au début du récit, Tistou est un enfant parfait qui vit dans un monde parfait. La situation est donc équilibrée et harmonieuse.

Genre, action, personnages

Éléments perturbateurs

Trois éléments vont fissurer cet univers idéal. D'une part, on apprend que celui-ci est financé par une usine à canons. D'autre part, Tistou s'avère être un si mauvais élève qu'il se fait renvoyer de l'école. Enfin, le héros découvre qu'il est différent des autres enfants puisqu'il a les pouces verts.

Péripéties

Des péripéties, c'est-à-dire des aventures, s'enchaînent alors suivant le même modèle : Monsieur Trounadisse emmène Tistou visiter un lieu marqué par la laideur et la souffrance. Puis, grâce à ses pouces verts, le héros transforme l'endroit déplaisant en un espace vert, beau et parfumé. Ce schéma se répète à cinq reprises, pour la prison, les taudis, l'hôpital, le zoo et l'usine d'armement.

Élément de résolution

Sur la décision de Monsieur Père, l'usine à canons devient une usine à fleurs. Cette transformation résout les trois problèmes qui s'étaient posés au début du conte. En effet, la ville de Mirepoil ne vit plus du commerce des armes. Tistou ne souffre plus de son échec scolaire puisqu'il est devenu « un enfant célèbre [...] dans le monde entier ». Enfin, ses pouces verts se sont avérés être un don très précieux.

Situation finale

Tistou, qui est un ange, part rejoindre Moustache au ciel.

Pour approfondir

Genre, action, personnages
Forme et genre

Un conte merveilleux

Le cadre féerique

Au début du conte, Tistou a une vie si parfaite qu'elle en devient féerique. Ses parents sont beaux, très riches et vivent dans une maison où tout brille. Pour regarder les voitures sans être ébloui, il faut « presque chausser des lunettes noires » (p. 29). Même les chevaux rutilent grâce aux garçons d'écurie qui les brossent sans répit.

Les personnifications

De plus, les astres et les animaux se comportent comme des êtres humains : on dit qu'ils sont personnifiés. Ainsi, la lune est dotée d'un visage puisque le narrateur écrit qu'elle « avait gonflé ses deux joues avec de l'air tout neuf » (p. 63). De même, le soleil pense que « c'est bien ennuyeux de devoir réveiller ce pauvre Tistou » (p. 41). Enfin, le poney Gymnastique est doué de parole.

Le don surnaturel

Mais la magie du conte tient surtout au pouvoir merveilleux détenu par le héros. Tistou a les pouces verts, c'est-à-dire qu'il est capable, en les enfonçant dans la terre, de faire germer les graines qui s'y trouvent cachées. Ce don, qui peut paraître de prime abord purement décoratif, s'avère être une arme redoutable. En effet, grâce à ses pouces, Tistou va pouvoir combattre l'emprisonnement, la maladie, la misère et la guerre.

Le héros du conte

Les épreuves

Comme tout héros de conte, Tistou traverse des épreuves. Tout d'abord, il souffre de ne pas répondre aux attentes de ses parents. En effet, il n'est ni le bon élève, ni l'amateur d'armes que ses parents auraient souhaité mettre au monde. De plus, ses pouces verts le rendent

Pour approfondir

168

Genre, action, personnages

différent des autres enfants. Mais, au-delà de ses tourments person-
nels, Tistou souffre surtout de voir les maux qui pèsent sur l'humanité.

Adjuvants et opposants

Pour l'aider dans ces épreuves, Tistou a deux adjuvants, c'est-à-dire
deux personnages qui l'aident : Moustache, qui le conseille et l'encou-
rage, et Monsieur Père, qui transforme son usine d'armement en usine
à fleurs. En revanche, ce conte ne met pas en scène d'opposants au
héros. Monsieur Trounadisse est certes souvent désagréable, mais il ne
cherche pas à nuire à Tistou. Au contraire, il a de l'affection pour lui et
contribue à son éducation. Dans ce récit, les ennemis du héros sont les
maux qui frappent l'humanité : la captivité, la maladie, la misère et la
guerre.

L'écriture du conte

Répétitions

Le récit est structuré par la répétition d'une même situation : Tistou part visiter un lieu (la prison, les taudis, l'hôpital, le zoo et l'usine),
puis il utilise son don. D'autres motifs récurrents rythment l'histoire,
comme les commentaires écrits sur le carnet de notes. Cette écriture
répétitive est très fréquente dans les contes.

Comique

Maurice Druon introduit dans son conte des passages comiques. Il
s'amuse à détourner certaines expressions : « j'en mettrais mes moustaches à couper », dit par exemple le jardinier. Les noms propres sont
souvent cocasses. Ainsi, les peuples ennemis se nomment les Vazys et
les Vatens. Enfin, l'auteur utilise l'ironie, c'est-à-dire qu'il écrit l'inverse
de ce qu'il pense : *L'Éclair de Mirepoil* devient ainsi un « quotidien bien
connu ».

Pour approfondir

Tistou, frère du Petit Prince

Le Petit Prince *de Saint-Exupéry*

En 1935, l'écrivain Antoine de Saint-Exupéry s'écrase dans le désert avec son avion. Alors qu'il va mourir de soif, il est miraculeusement sauvé par un habitant des lieux, un Bédouin. Quelques années plus tard, en 1943, il publie un conte qui rappelle cette histoire : en plein milieu du désert, un aviateur a une panne. Alors qu'il « est bien plus isolé qu'un naufragé sur un radeau au milieu de l'océan », un enfant apparaît et lui demande de dessiner un mouton. *Le Petit Prince* est né et deviendra vite mondialement célèbre.

L'histoire du Petit Prince

Le Petit Prince vient d'une planète minuscule. Il y vit seul avec une rose qu'il aime de tout son cœur, mais qui est très orgueilleuse. Un jour, fatigué de ses caprices, il décide de partir en voyage. Il visite six planètes, toutes habitées par des adultes étranges. Enfin, il arrive sur la Terre. Il y apprivoise un renard, puis fait la rencontre de l'aviateur dont il devient l'ami. Mais, quelques jours plus tard, le Petit Prince lui fait comprendre qu'il doit rentrer s'occuper de sa fleur. Le Petit Prince demande à un serpent de le piquer et, sans crier, tombe « doucement comme tombe un arbre ». Le lendemain, l'aviateur ne retrouve pas le corps de l'enfant. Il comprend que celui-ci est rentré chez lui.

Le Petit Prince et Tistou, deux personnages merveilleux

Comme Tistou, le Petit Prince possède des dons surnaturels. En effet, il est capable de voyager d'une planète à une autre « en profitant d'une migration d'oiseaux sauvages » ou en se faisant piquer par un serpent. Surtout, il peut parler aux animaux et aux végétaux. Ainsi, à plusieurs reprises dans le conte, il dialogue avec un renard et un serpent. De même, Tistou discute souvent avec son poney Gymnastique.

Mais l'interlocutrice préférée du Petit Prince est sa rose, pour qui il éprouve un véritable amour. Cette fleur, très coquette et qui « n'en finissait pas de se préparer à être belle », rappelle celle que le héros de Maurice Druon fait pousser pour la petite fille malade, une « rose merveilleuse, qui ne cessait de se transformer, d'épanouir une fleur ou un bourgeon ». Les deux personnages partagent donc le même goût pour les fleurs et pour la beauté en général.

170

Tistou, frère du Petit Prince

Le Petit Prince et Tistou, deux personnages angéliques

À la fin du conte, le Petit Prince quitte la Terre pour retourner sur sa planète. De même, le récit de Tistou se termine par le départ du jeune garçon qui monte au ciel. Ces héros sont donc tous deux des figures célestes.

De plus, leur physique et leur façon d'être les font ressembler à des anges. Le personnage de Druon est un garçonnet aux cheveux blonds « comme des rayons de soleil», et celui de Saint-Exupéry est également blond comme « les blés ». Surtout, le Petit Prince ne s'intéresse pas à ce qui est matériel, il ne se préoccupe pas de manger, il ne s'inquiète pas de se savoir perdu au milieu du désert. L'important pour lui concerne l'amour et l'amitié. Comme le lui apprend son ami le renard, « on ne voit bien qu'avec le cœur. L'essentiel est invisible pour les yeux ». C'est donc un être essentiellement spirituel, auquel il ne manque qu'une paire d'ailes pour s'envoler.

Le Petit Prince et Tistou, deux héros candides plongés dans le monde des adultes

Le Petit Prince part de chez lui et visite l'Univers. Il se déplace ainsi de planète en planète, rencontrant tour à tour un roi, un vaniteux, un buveur, un businessman, un allumeur de réverbères et un géographe. Chacun de ces personnages représente un défaut humain : respectivement le goût de la domination, l'orgueil, l'alcoolisme, le désir de richesses... Le héros est toujours très étonné de ce qu'il voit et en conclut que « les grandes personnes sont décidément bien bizarres ».

Cette plongée décevante dans le monde des adultes ressemble de près aux expériences vécues par Tistou. Lui aussi est constamment en désaccord avec les grandes personnes. Comme le Petit Prince, il regarde avec consternation les réalisations catastrophiques des êtres humains : la prison, les taudis, l'hôpital, le zoo et la guerre.

Pour approfondir

Tistou, frère du Petit Prince

1er extrait : Le Petit Prince – *Chapitre XIII*

Le Petit Prince est arrivé sur la planète du businessman. Ce dernier passe toutes ses journées à faire des calculs et à additionner des étoiles qu'il prétend posséder. Mais le héros n'est pas d'accord avec lui.

« Le petit prince avait sur les choses sérieuses des idées très différentes des idées des grandes personnes.

– Moi, dit-il encore, je possède une fleur que j'arrose tous les jours. Je possède trois volcans que je ramone toutes les semaines. Car je ramone aussi celui qui est éteint. On ne sait jamais. C'est utile à mes volcans, et c'est utile à ma fleur, que je les possède. Mais tu n'es pas utile aux étoiles...

Le businessman ouvrit la bouche mais ne trouva rien à répondre, et le petit prince s'en fut.

Les grandes personnes sont décidément tout à fait extraordinaires, se disait-il simplement en lui-même durant le voyage. »

Le Petit Prince, Antoine de Saint-Exupéry (© Gallimard, 1946).

2e extrait : Tistou les pouces verts – *Chapitre 15*

Monsieur Trounadisse fait visiter à Tistou l'usine d'armement. Le jeune garçon apprend avec stupéfaction que l'usine de Mirepoil vend des canons aussi bien aux Vazys qu'aux Vatens. Il exprime alors son désaccord.

« Ainsi un canon de Mirepoil allait tirer contre un autre canon de Mirepoil, et démolir un jardin d'un côté comme de l'autre !

– C'est cela le commerce, ajouta Monsieur Trounadisse.

– Eh bien, [dit Tistou,] je le trouve affreux, votre commerce !

– Quoi donc ! demanda Monsieur Trounadisse en se baissant, parce que les marteaux-pilons couvraient la voix de Tistou.

– Je dis que votre commerce est affreux, parce que...

Une énorme gifle l'arrêta net. Le conflit entre les Vazys et les Vatens venait de s'étendre soudainement jusqu'à la joue de Tistou.

"Voilà ce que c'est la guerre ! On demande une explication, on donne son avis, et pan ! on reçoit une gifle. Et si je te faisais pousser du houx dans ta culotte, qu'est-ce que tu en dirais ! pensait Tistou, les yeux pleins de larmes en regardant Monsieur Trounadisse." »

Bibliographie et filmographie

Bibliographie

Si tu aimes les contes, tu aimeras aussi :

Le Petit Prince, Antoine de Saint-Exupéry, Gallimard, collection « Folio junior », 2007.

La Sorcière de la rue Mouffetard, Pierre Gripari, Gallimard, collection « Folio junior », 2007.

Les Contes rouges du chat perché, Marcel Aymé, Gallimard, collection « Folio junior », 2007.

La Loi du roi Boris, Gilles Barraqué, Nathan, 2006.

Charlie et la chocolaterie, Roald Dahl, Gallimard, collection « Folio junior », 2016.

Bulle ou la Voix de l'océan, René Fallet, Gallimard, collection « Folio junior », 2009.

Si tu aimes les histoires qui parlent de la nature, tu aimeras aussi :

L'arbre qui chante, Bernard Clavel, Hatier, collection « Facettes », 2005.

Voyage au pays des arbres, J.M.G. Le Clézio, Gallimard, collection « Folio cadet », 2014.

Le petit garçon qui avait envie d'espace, Jean Giono, Gallimard, collection « Folio cadet », 2007.

Filmographie

Tistou les pouces verts, Mathias Ledoux, 1981.

Le Petit Prince, Mark Osborne, 2015.

Arrietty, le petit monde des chapardeurs, Hiromasa Yonebayashi, 2010.

Pour approfondir

Dans la même collection :

LAROUSSE s'engage pour
l'environnement en réduisant
l'empreinte carbone de ses livres.
Celle de cet exemplaire est de :
500 g éq. CO₂
Rendez-vous sur
www.larousse-durable.fr

PAPIER À BASE DE
FIBRES CERTIFIÉES

Imprimé chez Rotolito Lombarda (Italie)
Dépôt légal : Janvier 2017 – 316486/01
N° de projet : 11030612 – Janvier 2017